국가대표
프롬프트
엔지니어

: 시작부터 **프롬프팅**
만렙 프로젝트

The ultimate guide for future **prompt engineers**

국가대표 프롬프트 엔지니어 : 시작부터 프롬프팅 만렙 프로젝트

초판 _ 2025년 2월 12일

지은이 _ 코딩코치스

디자인 _ enbergen3@gmail.com

펴낸이 _ 한건희

펴낸곳 _ 부크크

출판등록 _ 2014.07.15.(제2014-16호.)

주소 _ 서울특별시 금천구 가산디지털1로 119 SK트윈타워 A동 305호

전화 _ 1670-8316

이메일 _ info@bookk.co.kr

홈페이지 _ www.bookk.co.kr

ISBN _ 979-11-419-8286-7

값은 표지에 있습니다.

국가대표
프롬프트
엔지니어

: 시작부터 **프롬프팅**
만렙 프로젝트

The ultimate guide for future **prompt engineers**

Intro
서문:

"미래의 언어를 배우다!"

우리는 지금, 기술의 발달이 인간의 상상력을 실현시키는 시대에 살고 있습니다. 인공지능은 단순한 도구를 넘어 우리의 삶을 변화시키는 협력자로 자리 잡았고, 프롬프트 엔지니어링은 그 변화의 중심에 있습니다. "국가대표 프롬프트 엔지니어: 시작부터 프롬프팅 만렙 프로젝트"는 단순한 AI 사용법을 넘어, AI와 협력하며 창조적 가능성을 확장하는 기술과 통찰을 제공합니다. 이 책은 단지 한 권의 가이드북이 아니라, 미래의 언어를 배우는 기회의 장으로 여러분을 초대합니다.

"AI와 인간의 협력: 변화를 이끄는 힘"

과거 산업혁명은 기계가 인간의 육체적 한계를 극복하도록 도왔고, 정보혁명은 데이터를 통한 효율성을 높였습니다. 이제 우리는 인공지능 혁명을 통해 창의성과 사고의 경계를 허물고 있습니다. 프롬프트 엔지니어링은 AI와의 협력을 통해 복잡한 문제를 해결하고, 생산성을 극대화하며, 무엇보다도 새로운 가능성의 문을 여는 열쇠입니다. 이 책은 초보자와 전문가 모두를 대상으로 하여, AI와의 대화를 통해 목표를 이루는 법을 체계적으로 안내합니다.

"프롬프트 엔지니어로 가는 길!"

"국가대표 프롬프트 엔지니어 : 시작부터 프롬프팅 만렙 프로젝트"는 다음을 준비했습니다.

1. 첫걸음에서 전문가까지:

기초적인 이론과 개념부터 고급 응용법과 실전 프로젝트까지 단계적으로 안내하여, 누구나 따라 할 수 있도록 구성했습니다.

2. 실전 중심의 접근법:

이론만이 아니라, 독자가 직접 연습하고 결과를 분석하며 성장할 수 있도록 최신 트랜드의 기법과 예제를 풍부하게 담았습니다.

3. 미래를 준비하는 인사이트:

AI 시대의 직업적 가능성과 프롬프트 엔지니어로서의 전망을 조명하며, 독자가 미래를 준비하는 데 필요한 통찰을 제공합니다.

"함께 열어갈 AI 시대!"

이 책은 단순한 매뉴얼이 아니라, 여러분의 프롬프팅에 대한 기술적 성장과 창의적 도약을 돕는 안내자입니다. 프롬프트 엔지니어링은 단지 AI를 사용하는 방법을 배우는 것이 아니라, 인간의 창의성과 기술의 조화를 통해 새로운 가치를 창출하는 과정입니다.

우리는 여러분이 이 책을 통해 AI와 협력하는 과정에서 더 큰 가능성을 발견하고, 새로운 목표를 세우며, 스스로를 한 단계 더 성장시키는 경험을 하시기를 바랍니다.

Contents
목차

ChatGPT

Claude

Perplexity

DeepSeek

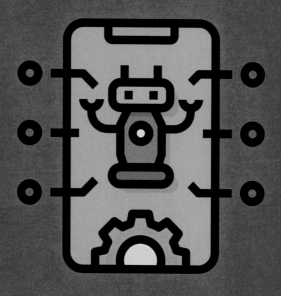

1st Part.
프롬프트 엔지니어링
이해하고 시작하기!
: Understanding and Getting Started
with Prompt Engineering!

1st Part에서는 프롬프트 엔지니어링의 기본 개념과 중요성을 다룹니다. 인공지능과의 대화를 효과적으로 이끌어내기 위한 프롬프트 엔지니어링의 창의적 측면과 기술적 측면을 설명하며, 프롬프트 엔지니어링이 산업 전반에 미치는 영향과 대규모 언어 모델과의 관계를 탐구합니다. 또한, 프롬프트 설계의 실제 사례와 다양한 기법, 최신 트렌드를 소개하며, 프롬프트 엔지니어링의 미래 전망과 직업적 가능성을 살펴봅니다.

1장. 프롬프트 엔지니어링 시작하기

1-0. 프롬프트 엔지니어링의 이해
: 인공지능과의 대화를 생각하다

"우리는 정말 특별한 시간을 지나고 있습니다."

처음 AI를 접했을 때만 해도, 이렇게 자연스럽게 AI와 대화를 나누게 되리라고는 상상하지 못했습니다. 불과 몇 년 전까지만 해도 SF 영화에서나 보던 일들이, 이제는 우리의 자연스러운 일상이 되었습니다. 우리는 처음 ChatGPT를 사용했을 때의 그 놀라움을 기억합니다. 질문에 답하고, 이야기를 들려주고, 문제를 해결해주는 AI를 보면서, "뭐야, 이게 된다고?" 하며 놀랐습니다.

"프롬프트 엔지니어링(**Prompt Engineering**)이란?"

프롬프트 엔지니어링은 바로 이러한 'AI와의 대화'를 더 효과적이고 창의적으로 이끌어가는 방법입니다. 마치 외국어를 배우는 것처럼, 처음에는 서툴고 어색할 수 있습니다만, 그럼에도 불구하고 우리는 지금부터 자연스럽게 AI와 소통하는 법을 배우게 될 것입니다.

우리에게 흥미로운 부분은, 프롬프트 엔지니어링이 단순한 기술의 문제가 아니라는 것입니다. 프롬프트 엔지니어링은 마치 작곡가가 음악을 만들고, 화가가 그림을 그리는 것처럼 창의적인 작업입니다. 우리들의 상상력과 AI의 능력이 만나는 지점에서, 경이로운 일들이 만들어집니다.

우리는 프롬프트 엔지니어링이라는 분야를 공부하고 연습하면서,
새로운 가능성을 발견하게 될 것입니다. 때로는 AI의 전혀 예상치 못한 답변에 놀라게 되고, 때로는 우리가 미처 생각하지 못했던 아이디어를 만나게도 됩니다.

"오늘부터 우리는 새로운 기회를 만나려 합니다.
우리가 AI와 나누게 될 대화 하나하나가,
미래 AI 씬의 중요한 한 페이지가 될 것입니다."

1-1. 프롬프트 엔지니어링의 시작
: 인공지능과의 대화를 디자인하다!

● **고대의 지혜와 현대 기술의 만남**

소크라테스는 "대화는 영혼과 영혼이 만나는 것"이라고 했습니다. 2,400년이 지난 오늘, 우리는 그 의미를 새로운 차원에서 마주하고 있습니다. 인공지능이라는 낯선 대화 상대의 등장으로, 인류는 완전히 새로운 형태의 '영혼의 만남'을 경험하게 되었습니다.

● **'프롬프트'의 현대적 진화**

프롬프트(Prompt)라는 단어는 라틴어 'promptus'에서 유래했습니다. '준비된', '즉각적인'이라는 의미를 지닌 이 고대의 단어는, 현대에 이르러 놀라운 변신을 겪게 됩니다. 즉 오늘의 프롬프트는 단순한 지시어를 넘어, AI와의 대화에서 우리의 '의도'와 '맥락'을 정교하게 담아내는 소통의 매개체로 진화했습니다.

1st Part. 프롬프트 엔지니어링 이해하고 시작하기!
: Understanding and Getting Started with **Prompt Engineering**!

● 새로운 소통의 예술

프롬프트 엔지니어링은 단순한 기술 이상의 것입니다. 이는 인공지능이라는 새로운 지성체와 인간 사이에 다리를 놓는 예술이자 과학입니다. 마치 시인이 은유와 직유를 통해 자신의 감정을 표현하듯, 프롬프트 엔지니어는 정교하게 설계된 언어를 통해 AI의 잠재력을 이끌어냅니다.

● 의미의 건축가가 되다

프롬프트 엔지니어링은 단순히 명령어를 입력하는 것이 아닙니다. 이는 의도와 맥락, 뉘앙스를 정교하게 설계하는 작업입니다. 우리는 이를 통해 AI와의 대화에서 더 깊은 이해와 더 풍부한 결과물을 얻을 수 있습니다. 마치 건축가가 공간을 디자인하듯, 프롬프트 엔지니어는 AI와의 대화 공간을 설계합니다.

● 미래를 향한 새로운 언어

이제 프롬프트 엔지니어링은 미래 사회의 필수적인 소통 도구가 되어가고 있습니다. 이는 단순한 기술적 스킬을 넘어, 인공지능 시대를 살아가는 모든 이들이 갖추어야 할 핵심 역량이 되었습니다. 우리는 이를 통해 AI와 더 깊이 있는 대화를 나누고, 더 창의적인 결과물을 만들어낼 수 있습니다.

"프롬프트 엔지니어링은 인간과 AI의 가교 역할을 하는
새로운 예술입니다. 이는 우리가 AI 시대에 마주한
가장 흥미롭고 중요한 도전 과제 중 하나이며,
동시에 무한한 가능성의 새로운 표현의 영역입니다."

1-2. 프롬프트 엔지니어링의 현재
: 새로운 도구, 혁신을 이끌다!

● **가치를 만드는 기술**

프롬프트 엔지니어링은 단순히 AI와 대화하는 것을 넘어, 문제를 해결하고 가치를 창출하는 기술로 자리잡고 있습니다. 예를 들어, 의료진이 환자 진단에 도움을 받을 수 있도록 AI에게 적절한 질문을 하는 것부터, 작가가 창의적인 아이디어를 얻기 위해 AI와 협업하는 것까지 다양한 분야에서 응용되고 있습니다. 이러한 프롬프트 엔지니어링 기술은 누구나 배울 수 있으며, 이를 통해 전문성과 효율성을 동시에 높일 수 있습니다.

● **교육과 접근성**

현재 많은 교육 기관과 온라인 플랫폼에서 프롬프트 엔지니어링에 대한 강의와 자료를 제공하고 있습니다. 이를 통해 초보자도 쉽게 접근할 수 있으며, 점차 많은 사람들이 자신의 일상과 업무에 AI를 통합하는 방법을 배우고 있습니다. 이러한 교육의 확산은 AI 기술의 민주화를 가속화하며, 다양한 계층의 사람들이 AI 활용 능력을 갖추도록 돕고 있습니다.

● **효율성과 생산성의 극대화**

프롬프트 엔지니어링은 업무 효율성을 획기적으로 향상시키는 동시에, 인간의 창의성과 전문성을 한층 더 끌어올리는 촉매제 역할을 하고 있습니다. 이는 단순 작업의 자동화를 넘어, 인간의 능력을 증폭시키는 도구로 자리잡고 있습니다.

● **미래를 향한 도약대**

프롬프트 엔지니어링은 단순한 기술 습득을 넘어, 미래 사회의 필수 역량으로 자리잡아가고 있습니다. 이는 개인의 역량 강화뿐만 아니라, 조직과 사회의 혁신을 이끄는 핵심 동력이 되고 있습니다. 우리는 지금 AI와 인간이 진정으로 협력하는 새로운 시대의 문턱에 서 있으며, 프롬프트 엔지니어링은 이 새로운 시대를 여는 열쇠가 될 것입니다.

1-3. 프롬프트 엔지니어링의 산업화
: 산업 혁신의 핵심 동력이 되다!

● **산업 현장의 실질적 변화**

기업들은 이제 프롬프트 엔지니어링을 통해 완전히 새로운 차원의 업무 방식을 경험하고 있습니다. 예를 들어, 대형 금융 기관들은 AI 시스템을 활용해 수천 개의 금융 문서를 분석하고, 시장의 미세한 변화까지 감지해냅니다. 의료 기관에서는 방대한 의료 데이터를 AI가 분석하여 의사의 진단을 보조하고, 새로운 치료법 개발에 도움을 주고 있습니다.

● **기업 경쟁력의 새로운 기준**

프롬프트 엔지니어링은 기업의 경쟁력을 근본적으로 재정의하고 있습니다. 과거에는 물리적 자산이나 인력의 규모가 기업의 경쟁력을 결정했다면, 이제는 AI를 얼마나 효과적으로 활용하는지가 중요한 척도가 되었습니다. 예를 들어, 소규모 스타트업도 뛰어난 프롬프트 엔지니어링 능력을 통해 대기업과 경쟁할 수 있는 수준의 서비스를 제공할 수 있게 되었습니다.

1st Part. 프롬프트 엔지니어링 이해하고 시작하기!!
: Understanding and Getting Started with **Prompt Engineering**!

● 업무 환경의 혁신적 변화

프롬프트 엔지니어링은 일상적인 업무 환경도 크게 변화시키고 있습니다. 법률 사무소에서는 AI가 수천 페이지의 계약서를 검토하고, 광고 에이전시에서는 AI 가 창의적인 캠페인 아이디어를 제안합니다. 고객 서비스 센터에서는 AI 챗봇이 24시간 고객의 문의에 응답하며, 연구소에서는 과학자들이 AI와 협력하여 새로 운 발견을 이어가고 있습니다.

● 미래를 향한 투자

글로벌 기업들은 프롬프트 엔지니어링 역량 강화에 막대한 투자를 하고 있습니다. 구글, 마이크로소프트, 아마존과 같은 기술 기업들은 자체 AI 모델을 개발하고 있으며, 전통적인 산업의 기업들도 AI 부서를 신설하고 전문가를 영입하고 있습니다. 이는 프롬프트 엔지니어링이 미래 산업 경쟁력의 핵심이 될 것이라는 확신에 기반합니다.

● 산업 생태계의 근본적 변화

프롬프트 엔지니어링은 단순히 기술적 도구가 아닌, 산업 생태계 전체를 변화시키는 촉매제가 되고 있습니다. 기업들은 이를 통해 새로운 비즈니스 모델을 창출하고, 기존 산업의 한계를 뛰어넘고 있습니다. 제조업체들은 AI를 활용해 생산 공정을 최적화하고, 서비스 기업들은 고객 경험을 혁신적으로 개선하고 있습니다.

"이처럼 프롬프트 엔지니어링은 현대 산업의 모든 영역에서 혁신을 이끌고 있으며, 그 중요성은 앞으로도 계속해서 증가할 것입니다. 이는 단순한 기술적 진보를 넘어, 우리가 일하고 생활하는 방식 자체를 근본적으로 변화시키고 있는 것입니다."

1-4. 프롬프트 엔지니어링과 LLM
: 인공지능의 사고체계를 이해하다!

● **AI의 작동 방식 이해하기**

우리가 사용하게될 프롬프트 엔지니어링은 OpenAI의 챗GPT(**ChatGPT**), An-thropic의 AI 클로드(**Claude**), 실시간 검색 결과와 출처를 제공하는 AI 퍼플렉시티(**Perplexity**) 등 대규모 언어 모델(**Large Language Model, LLM**) AI입니다.

대규모 언어 모델(**LLM**)은 방대한 양의 텍스트 데이터를 기반으로 훈련된 인공지능 시스템입니다. 이러한 모델은 문장 구조와 의미를 이해하고, 적절한 응답을 생성할 수 있습니다. 프롬프트는 이러한 언어 모델과 인간과의 연결고리로, 우리의 의도를 정확히 전달하고 원하는 결과를 얻기 위해 중요한 역할을 합니다.

● 프롬프트와 결과의 품질

대규모 언어 모델은 입력된 프롬프트를 기반으로 출력 결과를 생성합니다. 프롬프트의 설계가 정확하고 구체적일수록 결과의 품질이 높아집니다. 그러니까 모호한 질문보다는 구체적이고 맥락이 명확한 프롬프트가 더 나은 응답을 이끌어 냅니다. 이는 프롬프트 엔지니어링이 단순한 기술을 넘어 창의적이고 전략적인 사고를 요구하는 이유이기도 합니다.

● 대규모 언어 모델의 기본적인 태스크

대규모 언어 모델은 다양한 태스크(Task : 특정 작업이나 기능을 수행하기 위한 일의 단위)를 수행할 수 있으며, 주요 태스크는 다음과 같습니다:

1) 요약 태스크 (Summarization Task)

문서를 간략하게 요약하여 주요 정보를 전달하는 작업입니다.
예를 들어, 긴 뉴스 기사에서 핵심 내용을 추출하거나 학술 논문의 요약본을 생성할 때 사용됩니다. **"이 텍스트를 100자 이내로 요약해 주세요."**와 같은 프롬프트가 효과적입니다.

1st Part. 프롬프트 엔지니어링 이해하고 시작하기!
: Understanding and Getting Started with **Prompt Engineering**!

2) 추론 태스크 (Inference Task)

주어진 정보에서 논리적 결론을 도출하거나, 질문에 대한 답변을 생성하는 작업입니다. 예를 들어, **"다음 문장에서 주요 인물을 추론해 보세요."** 또는 **"제공된 데이터로부터 가능한 원인을 도출해 주세요"**와 같은 요청을 처리합니다. 이 태스크는 데이터 해석과 의사결정 지원에 유용합니다.

3) 변환 태스크 (Transformation Task)

텍스트의 형식이나 언어를 변환하는 작업입니다.

예를 들어, **"이 문장을 프랑스어로 번역해 주세요."** 또는 **"일상의 문제를 공식적인 톤으로 바꿔 주세요."**와 같은 요청이 해당됩니다. 데이터의 형식을 표준화하거나 다국어 커뮤니케이션을 지원할 때 주로 활용됩니다.

4) 생성 태스크 (Generation Task)

새로운 텍스트를 창작하거나 아이디어를 제안하는 작업입니다.

예를 들어, **"다음 주제에 대해 창의적인 블로그 글을 작성해 주세요."** 또는 **"새로운 제품 아이디어를 제안해 주세요."**와 같은 요청을 수행합니다. 이는 창의적 프로젝트나 콘텐츠 제작에 유용합니다.

5) 분류 태스크 (Classification Task)

텍스트 데이터를 특정 카테고리로 분류하는 작업입니다. 예를 들어, **"다음 리뷰를 긍정적인지 부정적인지 분류해 주세요."**와 같은 프롬프트를 처리합니다. 이는 감정 분석, 주제 분류 등 다양한 분석 작업에 활용됩니다.

"대규모 언어 모델은 이러한 태스크들을 수행할 때
프롬프트 설계를 통해 정확성과 효율성을 극대화할 수 있습니다.
적절한 태스크를 선택하고 명확한 지침을 제공하는 것이
성공적인 프롬프트 엔지니어링의 핵심입니다."

프롬프트 엔지니어링은 AI 시대의 새로운 패러다임을 여는 핵심 열쇠입니다. 우리는 지금 인류 역사상 가장 혁신적인 도구를 손에 쥐고 있으며, 이를 효과적으로 활용하기 위한 프롬프트의 중요성은 더욱 커질 것입니다. 프롬프트 엔지니어링은 기술과 인간의 창의성이 만나는 지점에서, 우리의 미래를 더욱 풍요롭게 만들어갈 것입니다. 다음 장에서는 이러한 프롬프트 엔지니어링의 설계와 활용의 실제에 대해 자세히 살펴보겠습니다.

2장. 프롬프트의 설계와 활용

 ## 2-1. 프롬프트 설계의 핵심 원칙
: 효과적인 소통의 기초가 되다!

성공적인 프롬프트 설계는 AI와의 효과적인 소통을 위한 기초가 됩니다. 명확한 의도 전달과 효율적인 결과 도출을 위해서는 몇 가지 핵심 원칙들을 이해하고 적용하는 것이 중요합니다. 이러한 원칙들을 통해 우리는 AI의 잠재력을 최대한 활용할 수 있습니다.

● **간결함과 명확성**

프롬프트는 짧고 간결하게 작성하되, 필요한 정보를 충분히 포함해야 합니다. 불필요한 세부사항은 생략하고 핵심을 강조하세요.

나쁜 예: "안녕하세요, 제가 오늘 아침에 일어나서 커피를 마시다가 문득 궁금해진 건데요. 혹시 지구 온난화가 어떻게 발생하는지, 그리고 그것이 우리 환경에 어떤 영향을 미치는지 자세히 설명해주실 수 있을까요?"

좋은 예: "지구 온난화의 주요 원인과 환경적 영향을 3가지로 설명해 주세요."

● **목표 지향성**

프롬프트를 설계할 때, 원하는 결과를 명확히 정의하고 이를 달성하기 위한 구체적인 단서를 포함하세요. 목표가 분명할수록 AI의 응답 품질이 높아집니다.

나쁜 예: "인공지능에 대해 알려주세요."

좋은 예: "인공지능의 세 가지 주요 응용 분야를 의료, 금융, 교육 측면에서 각각 100자 내외로 설명해 주세요."

● **실험과 최적화**

최적의 프롬프트를 찾기 위해 반복적인 실험이 필요합니다. 다양한 접근 방식을 테스트하고, 결과를 분석하여 효과적인 패턴을 파악하세요.

나쁜 예: "동일한 프롬프트를 계속 사용하며 다른 결과를 기대함"

좋은 예: "첫 시도: '주식 투자 전략을 설명해주세요."

두 번째 시도: "초보자를 위한 주식 투자 전략 5가지를 단계별로 설명해주세요."

세 번째 시도: "초보 투자자가 주식 투자를 시작할 때 고려해야 할 5가지 핵심 전략을 예시와 함께 설명해주세요."

프롬프트 설계의 핵심 원칙들은 단순한 가이드라인을 넘어 AI와의 효과적인 협업을 위한 근본적인 토대가 됩니다. 간결함과 명확성을 추구하면서도 목표 지향적인 접근을 유지하고, 지속적인 실험과 최적화를 통해 더 나은 결과를 얻을 수 있습니다. 이러한 원칙들을 실제 상황에 맞게 적용하고 발전시켜 나간다면, AI와의 더욱 생산적인 협업이 가능해질 것입니다.

2-2. 프롬프트 설계의 유형
: 다양한 목적에 맞는 설계 전략이 필요하다!

프롬프트 설계는 목적과 상황에 따라 다양한 형태를 취할 수 있습니다. 각각의 유형은 고유한 특징과 장점을 가지고 있으며, 이를 적절히 활용하면 AI와의 더욱 효과적인 상호작용이 가능해집니다.

● **명령형 프롬프트 (Imperative Prompt)**

명확하고 직접적인 지시를 통해 원하는 결과를 얻는 방식입니다. 예를 들어, **"다음 문장을 프랑스어로 번역해줘."**처럼 명령형 프롬프트는 특정 작업을 수행하도록 유도합니다.

● **질문형 프롬프트 (Interrogative Prompt)**

정보를 얻기 위해 AI에게 질문을 던지는 방식입니다. 예를 들어, **"트럼프 관세 정책의 주요 쟁점은 무엇인가요?"**와 같은 질문형 프롬프트는 AI의 지식을 활용하는 데 유용합니다.

● 컨텍스트 기반 프롬프트 (Context-based Prompt)

특정 시나리오나 배경을 설정하여 AI의 창의적 능력을 활용하는 방식입니다.

예를 들어, **"중세 판타지 세계를 배경으로 한 짧은 이야기를 써줘"**와 같이 배경을 제공하면 창의적인 결과를 얻을 수 있습니다.

● 다단계 프롬프트 (Multi-step Prompt)

복잡한 문제를 해결하기 위해 단계를 나누어 설계하는 방법입니다. 한 번에 모든 정보를 요청하기보다는, 단계별로 요청을 구체화하여 더 나은 결과를 얻을 수 있습니다. 예를 들어, **"먼저 주제를 정하고, 다음으로 관련 아이디어를 제시해줘."**처럼 단계적으로 접근합니다.

2-3. 한국어 프롬프트 표현의 유형
: 효과적인 한국어 명령어 체계가 되다!

우리말 프롬프트는 우리 언어의 특성을 살려 AI와 더욱 효과적으로 소통할 수 있게 해줍니다. 특히 동사와 어미 활용의 특성을 고려한 명령어 체계는 AI와의 상호작용을 더욱 정교하고 효율적으로 만듭니다. 평소 차이를 생각하지 않고 사용하던 표현들이 프롬프트 실제로는 결과의 차이를 나타내기도 합니다. ("설명해줘" vs "조사해줘") 특히 높은 수준의 추론이 필요한 경우에는 적확한 프롬프팅이 필수적입니다.

이번에는 목적별로 최적화된 한국어 프롬프트 명령어들을 살펴보고, 각각의 특성과 활용법을 자세히 알아보겠습니다.

1) 설명/서술 관련 표현

● **"설명해줘"** : 주요 개념이나 원리를 논리적이고 체계적으로 풀어내는 데 적합합니다. 단계적인 이해를 돕는 설명이 제공됩니다.

● **"알려줘"** : 사용자가 편안하게 받아들일 수 있는 친근한 톤으로 정보를 전달합니다. 진입장벽을 낮추는 설명 방식을 사용합니다.

● **"해설해줘"** : 전문가의 시각에서 깊이 있는 분석과 함께 상세한 설명이 제공됩니다. 배경 지식과 맥락도 함께 다룹니다.

● **"정리해줘"** : 복잡한 내용을 쉽게 이해할 수 있도록 핵심 요소를 중심으로 간단명료하게 정리합니다.

● **"분석해줘"** : 대상을 깊이 있게 들여다보고 다각도로 해석하여 통찰력 있는 견해를 제시합니다.

2) 생성/제작 관련 표현

● **"작성해줘"** : 형식과 격식을 갖춘 문서를 생성하며, 전문적이고 공식적인 톤을 유지합니다.

● **"제작해줘"** : 체계적인 구조와 창의적 요소가 가미된 콘텐츠를 만들어냅니다. 완성도 높은 결과물을 도출합니다.

● **"구성해줘"** : 내용을 논리적으로 배열하고 체계화하여 이해하기 쉬운 형태로 구조화합니다.

● **"기획해줘"** : 목표와 전략을 고려하여 체계적이고 실행 가능한 계획을 수립합니다.

● **"개발해줘"** : 논리적이고 체계적인 접근으로 실용적인 솔루션을 도출합니다.

3) 조사/연구 관련 표현

● **"검토해줘"** : 기존에 있는 내용을 세밀하게 살펴보고 전문적 견해를 더하여 종합적인 의견을 제시합니다. 놓친 부분이나 개선점도 함께 확인합니다.

● **"찾아줘"** : 사용자가 원하는 특정 정보나 자료를 데이터베이스에서 검색하여 관련성 높은 결과를 제공합니다. 정확하고 신뢰할 수 있는 출처를 기반으로 합니다.

● **"조사해줘"** : 특정 주제에 대해 폭넓게 자료를 수집하고 이를 체계적으로 정리하여 종합적인 정보를 제공합니다. 다양한 출처의 데이터를 통합적으로 분석합니다.

● **"연구해줘"** : 학문적 깊이와 전문성을 바탕으로 주제를 심도 있게 탐구하고 분석합니다. 이론적 배경과 실증적 데이터를 모두 고려합니다.

● **"탐색해줘"** : 주제와 관련된 다양한 가능성과 측면들을 광범위하게 살펴보고 새로운 관점이나 접근 방식을 제공합니다.

4) 평가/비교 관련 표현

● **"평가해줘"** : 명확한 기준과 척도를 바탕으로 객관적인 시각에서 대상의 가치와 성과를 판단합니다. 공정하고 균형 잡힌 시각을 유지합니다.

● **"비교해줘"** : 둘 이상의 대상이 가진 특성과 차이점을 체계적으로 대조하여 각각의 장단점을 명확히 보여줍니다. 객관적인 기준으로 분석합니다.

● **"검증해줘"** : 주장이나 정보의 진위 여부를 철저히 확인하고, 그 타당성과 신뢰성을 면밀히 검토합니다. 근거를 바탕으로 결론을 도출합니다.

● **"진단해줘"** : 현재 상황이나 문제점을 정확히 파악하고 그 원인과 영향을 분석하여 개선 방향을 제시합니다.

● **"판단해줘"** : 사용 가능한 정보를 바탕으로 전문적 식견과 경험을 활용하여 합리적인 결론을 도출합니다.

5) 아이디어/제안 관련 표현

● **"제안해줘"** : 문제 상황을 개선하거나 목표를 달성하기 위한 구체적이고 실행 가능한 방안을 제시합니다. 현실적인 제약 조건도 고려합니다.

● **"추천해줘"** : 사용자의 필요와 선호도를 고려하여 최적의 선택지를 제안합니다. 각 옵션의 장단점도 함께 설명합니다.

● **"조언해줘"** : 전문적 지식과 경험을 바탕으로 상황에 적합한 조언을 제공합니다. 실제적이고 적용 가능한 제안을 중심으로 합니다.

● **"아이디어를 줘"** : 기존의 틀을 벗어나 새롭고 혁신적인 발상을 제시합니다. 창
의적 사고를 통해 다양한 가능성을 탐색합니다.

● **"브레인스토밍해줘"** : 주제와 관련된 다양한 아이디어를 자유롭게 발산하고, 새
로운 관점과 해결 방안을 도출합니다.

6) 요약/정리 관련 표현

● **"요약해줘"** : 방대한 내용에서 핵심적인 요소만을 추출하여 간단하고 명확하게
전달합니다. 중요도에 따라 내용을 선별합니다.

● **"정리해줘"** : 복잡한 정보를 논리적 구조에 따라 체계적으로 분류하고 정돈합
니다. 이해하기 쉽게 구조화합니다.

● **"압축해줘"** : 전체 내용 중에서 가장 필수적인 정보만을 선별하여 간결하게 전
달합니다. 불필요한 요소는 제외합니다.

● **"핵심만 말해줘"** : 내용의 본질적인 요점만을 추출하여 명확하고 간단히 전달
합니다. 부가적인 설명은 최소화합니다.

● **"한 줄로 말해줘"** : 복잡한 내용을 단 하나의 문장으로 응축하여 핵심 메시지만
을 전달합니다. 가장 중요한 포인트에 집중합니다.

7) 방법/절차 관련 표현

● **"방법을 알려줘"** : 목표를 달성하기 위한 구체적인 실행 단계와 주의사항을 체계적으로 설명합니다. 실제 적용 가능한 실용적인 방법을 제시합니다.

● **"순서대로 설명해줘"** : 프로세스의 시작부터 끝까지 단계별로 명확하게 안내합니다. 각 단계의 연결성을 고려하여 자연스러운 흐름을 만듭니다.

● **"가이드해줘"** : 초보자의 관점에서 필요한 모든 정보를 친절하게 안내합니다. 실수하기 쉬운 부분에 대한 주의사항도 함께 제공합니다.

● **"절차를 설명해줘"** : 공식적인 절차나 규정에 따른 진행 과정을 정확하게 안내합니다. 필요한 서류나 준비사항도 함께 설명합니다.

8) 예시/사례 관련 표현

● **"예시를 들어줘"** : 추상적인 개념을 구체적인 사례를 통해 이해하기 쉽게 설명합니다. 실생활과 연관된 예시를 활용합니다.

● **"사례를 보여줘"** : 실제 발생했거나 적용된 구체적인 케이스를 통해 이해를 돕습니다. 성공 사례와 실패 사례를 모두 다룹니다.

● **"비유해서 설명해줘"** : 복잡한 개념을 친숙한 상황이나 물건에 빗대어 설명함으로써 직관적 이해를 돕습니다.

● **"실제 상황을 들어줘"** : 현실에서 실제로 일어날 수 있는 구체적인 상황을 예로 들어 설명합니다. 현실감 있는 이해를 돕습니다.

9) 해결/대응 관련 표현

● **"해결방안을 제시해줘"** : 문제 상황에 대한 구체적이고 실현 가능한 해결책을 제안합니다. 장단기적 관점을 모두 고려합니다.

● **"대안을 보여줘"** : 현재 상황에서 선택할 수 있는 다양한 대체 방안을 제시하고 각각의 특징을 설명합니다.

● **"대처방법을 알려줘"** : 특정 상황이나 문제가 발생했을 때 효과적으로 대응할 수 있는 방법을 안내합니다.

● **"솔루션을 제공해줘"** : 전문적인 관점에서 문제를 해결할 수 있는 체계적인 방안을 제시합니다.

10) 변환/전환 관련 표현

● **"바꿔줘"** : 주어진 내용을 다른 형태나 스타일로 변환합니다. 원래의 의미는 유지하면서 새로운 표현으로 전환합니다.

● **"번역해줘"** : 한 언어에서 다른 언어로 자연스럽게 전환하며, 문화적 맥락도 고려합니다.

● **"변환해줘"** : 데이터나 정보의 형식을 목적에 맞게 다른 형태로 전환합니다.

● **"각색해줘"** : 원본의 핵심을 유지하면서 새로운 맥락이나 목적에 맞게 내용을 재구성합니다.

● **"다시 써줘"** : 기존 내용을 다른 관점이나 스타일로 재작성합니다.

11) 정교화/심화 관련 표현

● **"더 자세히 설명해줘"** : 기본적인 설명에서 한 단계 더 나아가 세부적인 내용까지 상세히 다룹니다.

● **"깊이 있게 분석해줘"** : 표면적인 이해를 넘어 근본적인 원인과 영향까지 심도 있게 분석합니다.

● **"심층적으로 다뤄줘"** : 주제에 대해 다각도로 접근하여 심도 있는 이해를 제공합니다.

● **"전문적으로 설명해줘"** : 해당 분야의 전문가 수준에서 정교하고 깊이 있는 설명을 제공합니다.

12) 검토/수정 관련 표현

● **"검토해줘"** : 기존 내용의 문제점이나 개선점을 찾아 보완합니다.

● **"수정해줘"** : 잘못된 부분을 바로잡고 더 나은 방향으로 개선합니다.

● **"보완해줘"** : 부족한 부분을 채우고 완성도를 높입니다.

● **"피드백해줘"** : 객관적인 시각에서 개선점과 발전 방향을 제시합니다.

● **"교정해줘"** : 오류나 실수를 찾아 정확하게 바로잡습니다.

이렇게 우리말 프롬프트 명령어는 그 용도와 목적에 따라 다양한 표현이 가능하며, 각각의 표현이 가진 고유한 뉘앙스와 효과가 있습니다. 이러한 명령어들을 상황과 목적에 맞게 적절히 활용한다면, AI와의 소통을 더욱 효과적이고 정확하게 할 수 있습니다. 특히 한국어만의 특성을 살린 명령어 체계는 보다 섬세하고 정교한 결과물을 얻는 데 큰 도움이 될 것입니다.

"우리말 프롬프트 명령어의 다양한 표현과
고유한 특성을 상황에 맞게 활용하면,
AI와의 소통이 더욱 효과적이고 정교해질 수 있습니다."

2-4. 한국어 프롬프트의 문법적 활용
: 언어적 특성을 활용한 정교한 소통이 되다!

우리말은 조사, 어미, 부사 등 다양한 문법적 요소들을 통해 의미를 정교하게 전달할 수 있는 특징을 가지고 있습니다. 이러한 한국어의 문법적 특성을 프롬프트 작성에 전략적으로 활용한다면, AI와의 소통을 더욱 정확하고 효과적으로 만들 수 있습니다. 여기서는 한국어의 주요 문법 요소들을 프롬프트에 어떻게 활용할 수 있는지 살펴보겠습니다.

1) 조사의 전략적 사용법

● 조사 '-으로/로' :

조사 '-으로/로'는 특정 방식이나 수단을 지정할 때 매우 효과적으로 활용됩니다. 예를 들어 **"보고서 형식으로 작성해줘."**라고 할 때, 결과물의 형식을 명확하게 지정할 수 있습니다. 또한 **"전문가의 시각으로 분석해줘."**처럼 분석의 관점을 특정할 때도 유용합니다.

● **조사 '-에서' :**

조사 '-에서'는 분석이나 설명의 범위나 관점을 한정하는 데 특히 유용합니다. **"경영학적 관점에서 분석해줘."**와 같이 사용하면, AI가 특정 학문 분야의 틀 안에서 분석을 수행하도록 유도할 수 있습니다.

● **조사 '-을/를' :**

조사 '-을/를'은 작업의 직접적인 대상을 지정할 때 사용됩니다. **"이 개념을 자세히 설명해줘."**와 같이 사용하여 명확한 작업 대상을 제시할 수 있습니다.

2) 연결어미의 효과적 활용법

● **연결어미 '-하여/하되' :**

'-하여/하되'는 특정 조건이나 단서를 추가할 때 효과적입니다. **"쉽게 설명하되 전문성을 잃지 않게 해줘."**와 같이 사용하면, 두 가지 조건을 동시에 만족시키는 결과를 얻을 수 있습니다.

● **연결어미 '-면서' :**

'-면서'는 동시에 충족되어야 할 조건을 제시할 때 매우 유용합니다. **"전체적인 맥락을 유지하면서 요약해줘."**와 같이 사용하면, 두 가지 요구사항이 균형있게 반영된 결과를 얻을 수 있습니다.

● **연결어미 '-고자/하고자' :**

'-고자/하고자'는 목적이나 의도를 명확히 전달할 때 사용됩니다. **'강조하고자 합니다'**나 **'높이고자 합니다'**와 같은 표현은 AI에게 사용자의 구체적인 의도를 명확하게 전달할 수 있습니다.

3) 부사의 정교한 활용법

● **정도를 나타내는 부사 :**

정도나 수준을 지정하는 부사들은 결과물의 강도를 조절하는 데 매우 효과적입니다. **'매우'**, **'아주'**, **'대단히'**는 강조가 필요할 때, **'약간'**, **'다소'**, **'조금'**은 정도를 제한할 때 사용합니다.

● **방식을 나타내는 부사 :**

방식을 지정하는 부사들은 결과물의 형태나 특성을 구체화하는 데 도움이 됩니다. **'자세히'**, **'상세히'**, **'꼼꼼히'**는 더 깊이 있는 설명을 요구할 때, **'간단히'**, **'간략히'**, **'대략'**은 간결한 설명을 원할 때 활용합니다.

한국어의 풍부한 문법적 요소들은 AI와의 소통을 더욱 정교하게 만드는 강력한 도구가 됩니다. 조사, 어미, 부사 등을 전략적으로 활용함으로써, 우리는 AI에게 더욱 명확하고 구체적인 지시를 전달할 수 있습니다.

1st Part. 프롬프트 엔지니어링 이해하고 시작하기!
: Understanding and Getting Started with **Prompt Engineering**!

이는 단순한 언어 사용을 넘어, AI와의 효과적인 협업을 가능하게 하는 핵심 요소
가 될 것입니다.

"우리말의 문법적 요소들을 전략적으로 활용하면
AI와의 소통을 더욱 정교화할 수 있으며,
이는 효과적인 협업을 위한 핵심 도구가 됩니다."

2025 국가대표 프롬프트 엔지니어
The ultimate guide for future **prompt engineers**

2-5. 한국어 프롬프트의 복합표현 활용
: 정교한 의도 전달의 기술이 되다!

한국어는 다양한 문법 요소들을 조합하여 복잡한 의도를 정확하게 전달할 수 있는 장점이 있습니다. 특히 목적, 조건, 방식, 시간 등 여러 요소를 하나의 문장에 자연스럽게 담아낼 수 있는 특성을 활용하면, AI와의 소통을 더욱 효과적으로 만들 수 있습니다. 이 장에서는 한국어 프롬프팅에서 활용할 수 있는 다양한 복합 표현들을 체계적으로 살펴보겠습니다.

1) 목적+방식 조합의 다양한 패턴

● 교육/학습 목적

"초보자도 이해할 수 있도록 쉽게 풀어서 설명해줘."

"학습 효과를 높일 수 있도록 예시를 곁들여 설명해줘."

"체계적인 학습이 가능하도록 커리큘럼 형태로 구성해줘."

"개념 정립이 확실하도록 도표와 함께 정리해줘."

"단계적 숙달이 가능하도록 난이도별로 분류해줘."

1st Part. 프롬프트 엔지니어링 이해하고 시작하기!
: Understanding and Getting Started with **Prompt Engineering**!

● **업무/실무 목적**

"현장에서 바로 적용할 수 있도록 실전 사례 중심으로 설명해줘."

"업무 효율을 높일 수 있도록 프로세스 최적화 방안을 제시해줘."

"실무자가 참고할 수 있도록 체크리스트 형태로 정리해줘."

"신입 직원도 따라할 수 있도록 매뉴얼 형식으로 작성해줘."

"의사결정에 도움이 되도록 장단점을 비교 분석해줘."

● **연구/분석 목적**

"심층적 연구가 가능하도록 다각도로 분석해줘."

"인과관계를 파악할 수 있도록 요인별로 분석해줘."

"트렌드를 파악할 수 있도록 시계열로 정리해줘."

"객관적 판단이 가능하도록 데이터 기반으로 설명해줘."

"전체 맥락을 이해할 수 있도록 배경부터 차례로 설명해줘."

2) 조건+요청 조합의 다양한 패턴

● **난이도 조절 조건**

"전문 지식 없이도 이해할 수 있게 설명하되, 핵심 개념은 정확히 전달해줘."

"기술적 내용을 최소화하면서 실용적인 측면을 강조해서 설명해줘."

"복잡한 이론은 건너뛰고 실제 적용 방법 위주로 설명해줘."

"기본 개념부터 시작해서 고급 기술까지 단계적으로 심화해줘."

"쉬운 용어를 사용하되 전문성은 유지하면서 설명해줘."

● **형식/구조 조건**

"글자 수는 1000자 이내로 하되 핵심 내용을 모두 포함해서 작성해줘."

"개조식으로 정리하되 상세 설명은 각 항목 아래에 추가해줘."

"표와 그래프를 활용하되 직관적으로 이해할 수 있게 구성해줘."

"요약본을 먼저 제시하고 세부 내용을 뒤에 첨부하는 방식으로 작성해줘."

"시각적 자료를 중심으로 하되 필수 설명을 각주로 달아줘."

● **내용 구성 조건**

"이론과 실제 사례를 번갈아가며 설명하되 연결성이 드러나게 해줘."

"장단점을 모두 다루되 객관적 시각을 유지하면서 분석해줘."

"역사적 맥락을 포함하되 현대적 의의를 중심으로 설명해줘."

"글로벌 트렌드를 반영하되 국내 상황에 맞게 조정해서 설명해줘."

"다양한 관점을 소개하되 최신 연구 결과를 중심으로 정리해줘."

3) 시간/순서 관련 복합 표현

● **단계적 진행**

"기초 개념부터 시작해서 실전 활용까지 순차적으로 안내해줘."

"과거부터 현재까지의 발전 과정을 시간 순으로 정리해줘."

"문제 발생부터 해결까지의 프로세스를 단계별로 설명해줘."

"준비 단계부터 마무리까지 전체 과정을 순서대로 안내해줘."

"입문부터 전문가 수준까지 학습 로드맵을 구성해줘."

● **우선순위 설정**

"중요도 순으로 나열하되 실행 가능성을 함께 고려해서 설명해줘."

"시급성이 높은 항목부터 정리하되 비용 효율성도 감안해서 제시해줘."

"핵심 요소를 먼저 다루고 부가적인 내용을 후순위로 설명해줘."

"필수 사항을 우선 설명하고 선택적 요소는 보충 설명으로 첨부해줘."

이렇게 우리말의 풍부한 복합 표현들은 AI와의 소통을 더욱 정교하고 효과적으로 만들어줍니다. 목적과 방식을 결합하거나, 조건과 요청을 연계하고, 시간과 순서를 체계적으로 표현하는 등 다양한 복합 표현의 활용은 프롬프트 엔지니어링의 질적 수준을 한 단계 높여줄 것입니다. 이러한 표현들을 상황과 목적에 맞게 적절히 활용한다면, AI로부터 더욱 정확하고 만족스러운 결과를 얻을 수 있을 것입니다.

"다양한 복합 표현들을 상황과 목적에 맞게 활용함으로써,
AI와의 소통을 더욱 정교하게 진행할 수 있고
보다 만족스러운 결과를 얻을 수 있습니다."

3장. 프롬프트 엔지니어링의 기법과 트렌드

3-1. 주요 프롬프팅 기법
: 목적에 맞는 최적의 전략이 되다!

효과적인 프롬프트 엔지니어링을 위해서는 상황과 목적에 맞는 적절한 기법의 선택이 중요합니다. 각각의 프롬프팅 기법은 고유한 특성과 장점을 가지고 있으며, 이를 적절히 활용함으로써 원하는 결과를 더욱 효과적으로 얻을 수 있습니다. 여기서는 실제 활용도가 높은 주요 프롬프팅 기법들을 살펴보고, 각 기법의 특징과 활용 방안을 구체적인 예시와 함께 알아보겠습니다.

1) 역할 설정 (Role Setting)

AI에게 특정 역할을 부여하여 응답 품질과 일관성을 높이는 방법입니다. 예를 들어, **"당신은 미식 전문 음식 평론가입니다. 최근 서울의 미쉐린 레스토랑들에 대해 전문가적 관점에서 평가해주세요."**라는 프롬프트는 특정 전문가나 역할을 AI에게 부여하여 전문성과 일관성을 높이는 방법입니다.

2) 예시 기반 프롬프팅 (Example-Based Prompting)

AI가 예시를 통해 학습하도록 설계하는 기법입니다. 예를 들어, **"다음과 같은 형식으로 대답해 주세요. 1. 개요, 2. 주요 내용, 3. 결론"**과 같은 예시 기반 프롬프트는 명확하고 일관된 결과를 얻는 데 효과적입니다.

3) 사전 조건 설정 (Condition Setting)

응답 형식을 미리 지정하거나 조건을 부여하는 방식입니다. 예를 들어, **"200자 이내로 간단히 요약해 주세요."**와 같이 조건을 설정하면 필요한 범위 내의 응답을 얻을 수 있습니다.

4) 비교 분석 프롬프팅 (Comparative Analysis Prompting)

두 개 이상의 대상을 비교하여 분석하도록 하는 기법입니다. 예를 들면 다음과 같습니다. **"애플과 삼성의 스마트폰을 다음 관점에서 비교해주세요.:**
- 기술 혁신성
- 사용자 경험
- 가격 정책
- 브랜드 가치"

5) 다단계 프롬프팅 (Multi-Step Prompting)

복잡한 문제를 단계적으로 해결하기 위해 여러 프롬프트를 연속적으로 사용하는 기법입니다. 첫 번째 단계에서 문제를 정의하고, 두 번째 단계에서 분석, 마지막 단계에서 결론을 도출하도록 설계할 수 있습니다. 예를 들어, **"1단계: 현재 시장에서 전기차의 주요 문제점을 나열해주세요.**

2단계: 각 문제점에 대한 기술적/정책적 해결 방안을 제시해주세요.

3단계: 제시된 해결방안들의 실현 가능성을 평가하고 우선순위를 정해주세요."

이러한 프롬프팅은 큰 프로젝트나 심층적인 분석 작업에 유용합니다.

6) 상호작용적 프롬프팅 (Interactive Prompting)

AI와 사용자가 교대로 질문과 응답을 주고받으며 목표에 도달하는 방식입니다.

이 기법은 탐구적 문제 해결이나 창의적 아이디어 생성에서 특히 효과적입니다.

사용자는 필요에 따라 질문을 조정하거나 추가 정보를 요청할 수 있습니다.

예를 들어,

사용자: "진로 고민이 있어요."

AI: "진로 상담을 도와드리겠습니다. 현재 상황을 알려주시겠어요? (학년, 전공, 관심 분야 등)"

사용자: "대학교 3학년 경영학과이고, 마케팅이나 기획에 관심이 있어요."

AI: "구체적인 상담을 위해 몇 가지 더 여쭤보겠습니다.:

1. 지금까지 관련 활동 경험이 있나요?

2. 특별히 관심 있는 산업 분야가 있나요?

3. 본인의 강점은 무엇이라고 생각하시나요?"

사용자: "1. 학교 축제 기획단 경험이 있고

2. IT 업계에 관심이 있어요.

3. 아이디어 내는 것을 잘하는 편이에요."

AI: "말씀해주신 내용을 바탕으로 다음과 같은 방향을 제안드립니다.:

1. IT 기업 마케팅/기획 부서

2. 광고 대행사 AE 직무

3. 서비스 기획자(PM)"

이처럼 다양한 프롬프팅 기법들은 각각의 상황과 목적에 따라 최적화된 결과를 도출하는 데 도움을 줍니다. 특히 이러한 기법들을 단독으로 사용하는 것에서 나아가, 여러 기법을 효과적으로 조합하여 사용하면 더욱 정교하고 만족스러운 결과를 얻을 수 있습니다. 프롬프트 엔지니어링의 성공은 이러한 다양한 기법들을 상황에 맞게 적절히 선택하고 활용하는 능력에 달려 있습니다.

"다양한 프롬프팅 기법들을 상황과 목적에 맞게 선택하고
효과적으로 조합하여 활용하면,
더욱 정교하고 만족스러운 결과를 얻을 수 있습니다."

3-2. 최신 프롬프팅 트렌드
: 진화하는 소통의 기술이 되다!

프롬프트 엔지니어링 분야는 AI 기술의 발전과 함께 끊임없이 진화하고 있습니다. 최신 트렌드는 더욱 정교하고 효과적인 AI와의 소통 방법을 제시하며, 이는 결과물의 품질을 한층 더 향상시킵니다. 여기서는 현재 주목받고 있는 최신 프롬프팅 기법들과 그 활용 방안을 살펴보겠습니다.

1) 컨텍스트 강화 (Contextual Enrichment)

대규모 언어 모델(**LLM**)이 더욱 정교해짐에 따라, 맥락을 풍부하게 제공하여 AI가 더 나은 결과를 생성하도록 돕는 기법이 주목받고 있습니다. 기본 프롬프트: + 컨텍스트 강화 프롬프트:의 구조입니다. (관련 배경 정보를 프롬프트에 포함하거나, 이전 대화 기록을 활용하여 맥락을 유지하는 방법입니다.)

● **기본 프롬프트:**

"주말 여행 계획을 세워주세요."

1st Part. 프롬프트 엔지니어링 이해하고 시작하기!
: Understanding and Getting Started with **Prompt Engineering**!

● **컨텍스트 강화 프롬프트:**

"다음 상황을 고려한 주말 여행 계획을 세워주세요.:

시기: [10월 말]

상황: [단풍 절정 시기], [가을 축제 시즌]

인원: [초등학생 자녀(11세)가 있는 3인 가족]

이동수단: [자가용]

숙박: [1박 2일]

선호도: [야외 활동 선호], [사진 촬영 좋아함]

예산: [40만원]

이러한 조건들을 고려한 여행 계획을 시간대별로 작성해주세요."

2) 적응형 프롬프팅 (Adaptive Prompting)

사용자의 입력에 따라 실시간으로 프롬프트를 조정하는 기술입니다. 이는 AI가 다양한 입력 상황에서도 일관되게 반응하도록 돕고, 개인화된 경험을 제공합니다.

● **난이도 조정의 예시:**

시스템: … "그러면 영어로 대화할까요?"

사용자: "네, 하지만 초급 수준이에요."

시스템: "알겠습니다. 간단한 단어와 문장으로 대화를 시작하겠습니다. Hello! How are you today? (안녕하세요! 오늘 기분이 어떠신가요?)"

3) 제로샷, 원샷 및 퓨샷 학습

(Zero-shot, One-shot Learning and Few-shot Learning)

추가적인 학습 데이터 없이도 특정 작업을 수행하도록 프롬프트를 설계하는 방법입니다. 제로샷 학습은 AI가 단서만으로 작업을 수행하게 하고, 원샷 학습은 제로샷 학습과 퓨샷 학습의 중간 형태로 단 하나의 예시만을 제공하여 AI가 원하는 작업을 수행하도록 하는 방법이며, 퓨샷 학습은 몇 가지 예제를 추가하여 더 높은 정확도를 목표로 합니다.

(1) 제로샷 학습 예시:

"30대 직장인을 위한 아침 식단을 추천해주세요."

별도의 예시 없이도 AI는 적절한 식단을 추천할 수 있습니다.

(2) 원샷 학습 예시:

"다음의 양식처럼 '병가' 이메일을 작성해주세요.:

제목: 휴가 신청합니다.

본문: 안녕하세요. 홍보팀 김민수입니다. 다름이 아니라 7월 1일부터 3일까지 연차 휴가를 신청하고자 합니다. 검토 후 승인 부탁드립니다."

(3) 퓨샷 학습 예시:

"다음 예시들처럼 독서 감상문을 작성해주세요.:

예시 1:

책: '데미안'

감상: 자아를 찾아가는 여정이 인상적입니다.

핵심 문구: "새는 알에서 나오려고 투쟁한다."

예시 2:

책: '어린왕자'

감상: 순수함의 가치를 다시 생각하게 됩니다.

핵심 문구: "중요한 것은 눈에 보이지 않아."

이제 '동물농장'에 대해 같은 형식으로 작성해주세요."

이러한 최신 프롬프팅 트렌드들은 AI와의 소통을 더욱 정교하고 효율적으로 만들어주고 있습니다. 컨텍스트 강화를 통한 맥락의 풍부화, 적응형 프롬프팅을 통한 개인화, 다양한 학습 방식의 활용 등은 AI의 성능을 최대한 끌어올리는 핵심 전략이 되고 있습니다. 이러한 트렌드를 적절히 활용하면서도, 각자의 상황과 목적에 맞게 최적화된 프롬프팅 전략을 수립하는 것이 중요할 것입니다.

"최신 프롬프팅 트렌드인 컨텍스트 강화, 적응형 프롬프팅,
다양한 학습 방식을 상황에 맞게 활용하면,
AI의 성능을 극대화하고 더욱 효율적인 소통이 가능해집니다."

4장. 프롬프트 엔지니어링의 미래 전망

4-1. 기술 발전과 가능성
: 혁신의 새로운 지평을 열다!

프롬프트 엔지니어링은 AI 기술의 발전과 함께 끊임없이 진화하고 있습니다. 이는 단순한 기술적 진보를 넘어 우리의 일하는 방식과 소통 방식을 근본적으로 변화시킬 것입니다. 여기서는 프롬프트 엔지니어링의 미래 발전 방향과 그것이 가져올 혁신적인 변화들을 살펴보겠습니다.

1) AI 모델의 진화 (AI Models)

우리는 이미 언어 모델의 급격한 발전을 목격하고 있습니다. 이전에는 상상할 수 없었던 수준의 자연스러운 대화와 복잡한 문제 해결을 가능케 하는 AI가 등장했습니다. 하지만 이 기술의 발전은 아직 끝나지 않았습니다. 앞으로는 더욱 정교한 언어 모델들이 등장하며, 이를 활용하는 프롬프트 설계 (**Prompt Design**)의 중요성은 그 어느 때보다 커질 것입니다. 프롬프트 설계는 단순히 AI에게 질문을 던지는 것을 넘어, AI의 능력을 극대화할 수 있는 핵심 요소로 자리잡을 것입니다. 더욱 세밀하고 정밀한 프롬프트 설계가 이루어질 때, AI는 비로소 인간의 복잡한 사고를 실현하는 도구로 발전할 것입니다.

2) 멀티모달 AI의 확장 (Multimodal AI)

최근 AI 모델은 텍스트뿐만 아니라 이미지, 비디오 등 다양한 형태의 데이터를 처리할 수 있는 능력을 갖추고 있습니다. 앞으로 멀티모달 AI가 더욱 발전하면서, 사용자는 하나의 프롬프트로 텍스트와 이미지를 결합하거나, 심지어 비디오 콘텐츠까지 생성할 수 있는 시대가 열릴 것입니다. 이러한 발전은 프롬프트 설계의 가능성을 무한히 확장시키며, 다양한 분야에서 혁신적인 변화를 일으킬 것입니다. 예를 들어, 마케팅 (**Marketing**), 교육 (**Education**), 창작 (**Creative Arts**) 등의 분야에서 프롬프트가 단순한 질문 이상의 역할을 하게 될 것입니다.

3) 자동 프롬프트 생성 도구의 등장 (Automated Prompt Generation Tools)

AI는 이제 단순히 주어진 질문에 대한 답을 찾는 역할을 넘어, 스스로 최적의 프롬프트를 생성하고 수정할 수 있는 능력을 갖추어 가고 있습니다. 이는 특히 비전문가에게 큰 변화를 가져올 것입니다. 자동화된 프롬프트 생성 도구는 사용자가 AI와의 상호작용에서 벗어나 쉽게 최적의 결과를 도출할 수 있게 돕는 중요한 기술로 자리잡을 것입니다. 이 기술은 인터페이스의 발전과 함께, 사용자 친화적인 형태로 제공되어, 기술적 지식이 부족한 사람들도 손쉽게 활용할 수 있게 될 것입니다.

4) 전문 산업과의 융합 (Integration with Specialized Industries)

특정 산업에 특화된 프롬프트 템플릿 (**Prompt Templates**)과 도구들이 개발되며, AI와 프롬프트 엔지니어링은 더욱 정교하게 각 산업의 요구에 맞춰질 것입니다. 이를 통해 우리는 산업 전반의 생산성과 효율성을 극대화할 수 있는 길을 열게 될 것입니다. 예를 들어, 의료 분야 (**Healthcare**)에서는 프롬프트를 통해 진단을 보조하거나 치료 방법을 추천받는 데 활용될 수 있으며, 금융 분야 (**Finance**)에서는 투자 분석에 필요한 정보를 신속하게 제공하는 데 쓰일 것입니다. AI와 프롬프트 엔지니어링의 결합은 산업의 혁신을 이끄는 핵심적인 역할을 할 것입니다.

프롬프트 엔지니어링의 미래는 무한한 가능성으로 가득 차 있습니다. AI 모델의 지속적인 발전, 멀티모달 기능의 확장, 자동화 도구의 등장, 그리고 산업별 특화된 솔루션의 개발은 우리가 일하고 생활하는 방식을 획기적으로 변화시킬 것입니다. 이러한 변화의 물결 속에서, 프롬프트 엔지니어링은 단순한 기술을 넘어 혁신을 이끄는 핵심 동력이 될 것입니다. 우리는 이제 이러한 변화를 주도적으로 이끌어가며, 더 나은 미래를 설계해 나가야 할 때입니다.

4-2. 기술 발전의 사회적 영향
: 변화하는 사회의 새로운 기준이 되다!

AI와 프롬프트 엔지니어링의 발전은 단순한 기술적 진보를 넘어 사회 전반에 걸쳐 광범위한 변화를 일으키고 있습니다. 이러한 변화는 직업 시장의 재편, 교육 체계의 혁신, 그리고 사회적 불평등의 새로운 양상 등 다양한 측면에서 나타나고 있습니다. 이러한 변화를 이해하고 대비하는 것은 미래 사회를 준비하는 데 있어 매우 중요한 과제가 될 것입니다.

1) 직업 시장의 변화 (Job Market)

AI와 프롬프트 엔지니어링의 발전은 새로운 직업군 (**New Job Roles**)을 탄생시킬 것입니다. 이미 프롬프트 엔지니어링 전문가 (**Prompt Engineering Experts**)의 수요는 급격히 증가하고 있으며, 이 추세는 앞으로도 계속될 것입니다. AI를 활용하는 능력은 점차 필수 역량으로 자리잡게 되어, 학생들과 직장인들은 프롬프트 설계와 관련된 기술을 학습해야 하는 시대가 올 것입니다.

새로운 직업들이 등장하며, 사람들은 AI와 협력하는 방식으로 업무를 수행하게 될 것입니다. 이는 직업 시장에 대한 근본적인 변화를 일으킬 것이며, 더욱 다양한 역할들이 생겨날 것입니다.

2) 교육과 역량 강화 (Education and Training)

AI와 프롬프트 엔지니어링의 발전에 발맞추어, 이와 관련된 교육의 중요성은 그 어느 때보다 커질 것입니다. 학생과 직장인을 위한 프롬프트 엔지니어링 훈련 프로그램 (**Training Programs**)은 이제 필수적인 부분으로 자리잡고 있습니다. 이를 통해 개인들은 AI를 더 잘 활용할 수 있게 되며, 기업들은 효율적인 업무 처리와 경쟁력 강화를 이루어낼 수 있을 것입니다. 교육 기관은 AI 기술을 중심으로 한 혁신적인 교육 과정을 제공함으로써, 미래 인재 양성에 중요한 역할을 하게 될 것입니다.

3) 디지털 격차 문제 (Digital Divide)

하지만 이러한 기술 발전이 모두에게 공평하게 혜택을 주는 것은 아닙니다. 디지털 기술의 접근성 차이는 여전히 존재하며, 교육의 기회 불평등 또한 심각한 문제로 남아 있습니다. 이를 해결하기 위한 사회적 노력이 필요하며, AI 도구의 보편적 사용을 위한 사회적 지원 (**Social Support for AI Accessibility**)이 강화되어야 합니다. 정부와 기업은 이러한 격차를 해소하기 위한 정책을 마련하고, 모든 사람들이 기술을 통해 성장할 수 있는 기회를 가져야 할 것입니다.

AI와 프롬프트 엔지니어링의 발전이 가져올 사회적 변화는 피할 수 없는 현실이 되었습니다. 이러한 변화는 새로운 기회를 창출하는 동시에 새로운 도전과제도 함께 가져올 것입니다. 중요한 것은 이러한 변화를 긍정적인 방향으로 이끌어가는 것입니다. 모든 구성원이 함께 성장할 수 있는 포용적인 기술 발전을 추구하고, 디지털 격차를 해소하기 위한 지속적인 노력을 기울여야 할 것입니다. 이를 통해 우리는 기술 발전의 혜택을 사회 전체가 고르게 누릴 수 있는 미래를 만들어 갈 수 있을 것입니다.

4-3. 프롬프트 엔지니어의 직업적 전망

: 새로운 디지털 시대의 핵심 인재가 되다!

프롬프트 엔지니어링은 AI 시대의 새로운 전문 직군으로 빠르게 부상하고 있습니다. 이는 단순한 트렌드를 넘어 디지털 전환 시대의 핵심 역량으로 자리잡고 있으며, 다양한 산업 분야에서 그 중요성이 날로 커지고 있습니다. 여기서는 프롬프트 엔지니어링 분야의 직업적 전망과 발전 가능성을 살펴보겠습니다.

1) 급부상하는 새로운 직군

디지털 혁명의 최전선에서 프롬프트 엔지니어라는 새로운 직업이 부상하고 있습니다. 대규모 기술 기업들은 이미 프롬프트 엔지니어링 전담 부서를 설립하고 있으며, 스타트업에서 대기업에 이르기까지 이 분야의 전문가를 적극적으로 채용하고 있습니다. 특히 실리콘밸리의 주요 기업들은 프롬프트 엔지니어에게 소프트웨어 개발자에 준하는 높은 연봉을 제시하고 있으며, 이는 이 직군에 대한 시장의 높은 수요를 반영합니다.

1st Part. 프롬프트 엔지니어링 이해하고 시작하기!
: Understanding and Getting Started with **Prompt Engineering**!

2) 다양한 산업 분야에서의 활용

프롬프트 엔지니어의 업무는 매우 다양하고 창의적입니다. 의료 분야에서는 의사들의 진단을 보조하는 AI 시스템을 위한 프롬프트를 설계하고, 교육 분야에서는 학생들의 학습을 돕는 AI 튜터링 시스템을 개발합니다. 법률 분야에서는 복잡한 법적 문서를 분석하는 AI 시스템의 성능을 최적화하며, 창작 분야에서는 아티스트들과 협력하여 새로운 예술 작품을 만들어내는 데 기여합니다.

3) 기술적 진화와 발전

기술의 발전과 함께 프롬프트 엔지니어링의 도구와 방법론도 빠르게 진화하고 있습니다. 초기에는 단순한 텍스트 입력에 불과했던 프롬프트가 이제는 복잡한 알고리즘과 결합하여 더욱 정교한 결과물을 만들어내고 있습니다. 예를 들어, 최신 프롬프트 엔지니어링 도구들은 자연어 처리 기술과 머신러닝 알고리즘을 활용하여 프롬프트의 성능을 실시간으로 분석하고 최적화할 수 있습니다.

4) 체계적인 교육 시스템 구축

프롬프트 엔지니어가 되기 위한 교육과 훈련 시스템도 체계화되고 있습니다. 주요 대학들은 프롬프트 엔지니어링 관련 과정을 개설하고 있으며, 온라인 교육 플랫폼에서도 전문적인 커리큘럼을 제공하고 있습니다. 이러한 교육 과정에서는 AI 기술의 기초부터 고급 프롬프트 설계 기법, 산업별 특화된 응용 방법까지 폭넓게 다루어집니다.

5) 전문화되는 산업 현장의 역할

산업 현장에서는 프롬프트 엔지니어의 역할이 더욱 전문화되고 있습니다. 금융 분야의 프롬프트 엔지니어는 시장 분석과 리스크 평가를 위한 특화된 프롬프트를 개발하고, 제조업 분야에서는 생산 공정 최적화를 위한 AI 시스템을 설계합니다. 마케팅 분야에서는 고객 데이터 분석과 개인화된 콘텐츠 제작을 위한 프롬프트 시스템을 구축합니다.

6) 더욱 밝아지는 미래 전망

미래에는 프롬프트 엔지니어링이 더욱 세분화되고 전문화될 것으로 예상됩니다. 각 산업 분야별로 특화된 프롬프트 엔지니어가 등장할 것이며, AI 모델의 발전에 따라 새로운 전문 영역이 계속해서 생겨날 것입니다. 또한, AI 윤리와 책임있는 AI 활용을 위한 프롬프트 설계 전문가의 중요성도 더욱 커질 것으로 전망됩니다.

7) 혁신을 주도하는 핵심 직군으로의 발전

프롬프트 엔지니어링은 단순한 기술직을 넘어, 디지털 시대의 핵심 직군으로 자리잡아가고 있습니다. 이는 AI 기술의 발전과 함께 계속해서 성장하고 진화할 것이며, 미래 사회의 혁신을 이끄는 중요한 역할을 담당하게 될 것입니다.

프롬프트 엔지니어링은 미래 산업의 핵심 동력이자 새로운 직업 기회의 원천이 될 것입니다. 이 분야는 기술의 발전과 함께 계속해서 진화하며, 더욱 전문화되고 세분화될 것입니다. 동시에 AI 기술의 보편화로 인해 프롬프트 엔지니어링 역량은 많은 직종에서 필수적인 기술이 될 것입니다. 이러한 변화의 물결 속에서, 프롬프트 엔지니어는 디지털 혁신을 주도하는 핵심 인재로서 더욱 밝은 미래를 맞이하게 될 것입니다.

2nd Part.
고급 프롬프팅과
실전 템플릿 사용하기!
: Advanced Prompting and
Using Practical Templates!

2nd Part에서는 고급 프롬팅 기법과 심화된 프롬프트 템플릿을 다룹니다. 고급 프롬 프팅의 기본 원칙과 기호, 기법을 활용한 프롬프트 설계 방법을 설명하며, In-context Learning을 통해 AI가 더 나은 결과를 생성하도록 돕는 방법을 제시합니다. 또한, 다양한 글쓰기 장르에 맞춘 심화된 프롬프트 템플릿을 소개하며, 이를 활용한 창작물의 예시를 제공합니다.

1. 고급 프롬프팅의 이해

1-1. 고급 프롬프팅의 기본 원칙

고급 프롬프팅은 AI와의 상호작용을 최적화하기 위한 전략적 접근법입니다. 명확한 구조화, 맥락 제공, 그리고 세부적인 제한 조건 설정을 통해 원하는 결과를 효과적으로 얻을 수 있습니다. 다음은 이를 위한 주요 원칙들입니다.

1) 구조화된 입력

질문을 체계적으로 설계하여 AI가 명확하게 이해할 수 있도록 합니다.
이를 위해 포맷(리스트, 테이블, 숫자 등)을 활용해 시각적 가독성을 높입니다.

목표: "여행 일정 초안을 설계"

입력:

목적지: 일본 도쿄

기간: 3박 4일

예산: 1인당 100만 원

필수 활동: 스시 맛집 탐방, 도쿄 타워 방문

2) 컨텍스트 제공

AI가 적절한 답변을 제공하려면 질문의 배경이나 목적을 명확히 포함해야 합니다.

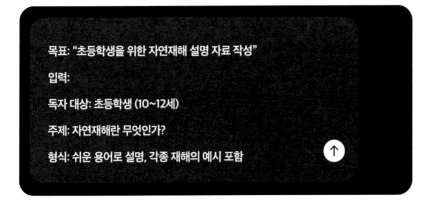

목표: "초등학생을 위한 자연재해 설명 자료 작성"

입력:

독자 대상: 초등학생 (10~12세)

주제: 자연재해란 무엇인가?

형식: 쉬운 용어로 설명, 각종 재해의 예시 포함

3) 제한과 조건 추가

형식, 스타일, 그리고 기타 구체적인 요구사항을 명시합니다.

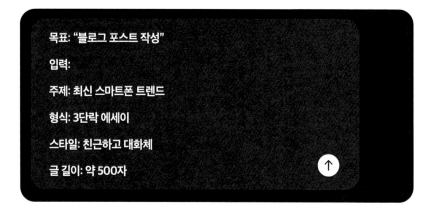

목표: "블로그 포스트 작성"

입력:

주제: 최신 스마트폰 트렌드

형식: 3단락 에세이

스타일: 친근하고 대화체

글 길이: 약 500자

고급 프롬프팅은 단순히 질문을 던지는 것이 아니라, AI가 명확히 이해할 수 있도록 입력 데이터를 구조화하고 세부 정보를 추가하는 과정입니다. 이를 통해 보다 완성도 높은 결과물을 얻을 수 있으며, 응답의 품질 또한 크게 향상됩니다. 프롬프트 설계는 AI와의 협업을 최적화하는 열쇠임을 항상 기억합니다!

1-2. 기호와 기법 활용하기

프롬프트의 효율성을 높이기 위해서는 다양한 기호와 기법을 전략적으로 활용해야 합니다. 구조화된 형식, 명확한 지시어, 그리고 맥락 정보를 체계적으로 구성하는 방법을 살펴보겠습니다.

1) 구조화된 리스트

프롬프트를 구조화된 리스트로 작성하면 AI가 정보를 체계적으로 이해하고 답변을 정확히 제공할 수 있습니다.

목표: **"효율적인 회의록 작성"**
입력:
회의 주제: 제품 출시 계획
참가자: 마케팅 팀, 개발 팀
주요 내용:
- 출시일 결정
- 마케팅 전략 논의
- 기술적 문제점 점검

2) 명령어 템플릿

특정 작업을 수행할 때 명령어 형식을 활용하면 AI의 작업 효율이 높아집니다.

목표: "소셜 미디어 게시글 생성"
입력:
작업: 소셜 미디어 게시글 작성
대상 플랫폼: 인스타그램
제품: 친환경 물병
스타일: 간결하고 매력적인 어조

3) 토큰화된 형식

프롬프트를 토큰화(Tokenization :문장을 작은 단위로 나누는 과정)된 형식으로 작성하면 정보를 간결하게 제공할 수 있습니다. 이 방식은 데이터가 복잡한 경우 특히 유용합니다.

목표: "영화 추천"
입력:
장르: SF
분위기: 긴장감 있는
추가 조건: 2020년 이후 개봉작

4) 롤플레이와 역할 지정

AI에 특정 역할을 부여하면 해당 상황에 적합한 답변을 생성할 수 있습니다.

> **목표:** "역사 교사로부터 유럽 르네상스 설명 듣기"
> **입력:**
> 당신은 유능한 역사 교사입니다. 유럽 르네상스에 대해 초등학생이
> 이해하기 쉽게 설명해주세요.

5) 메타데이터 활용

메타데이터는 프롬프트에 부가적인 정보를 포함해 AI의 작업 방향을 명확히 설정하는 데 유용합니다.

> **목표:** "보고서 작성"
> **입력:**
> 보고서 제목: 2026년 시장 트렌드 분석
> 작성 대상: 경영진
> 핵심 내용:
> - 주요 소비자 행동 변화
> - 신흥 시장 기회
> - 경쟁사 분석
> 스타일: 전문적이고 간결한 어조

프롬프트에 기호와 기법을 적절히 적용하면 효율성과 창의성을 극대화할 수 있습니다. 이를 통해 AI와의 상호작용에서 최적의 결과를 얻을 수 있습니다.

1-3. In-context Learning용 프롬프트 작성법

'문맥 기반 학습'(In-context Learning)은 AI에게 예시를 보여주면서 가르치는 프롬프팅 방법입니다. 마치 새로운 직원에게 업무를 가르칠 때처럼, 예시를 보여주고 따라하게 하는 것과 비슷합니다. AI가 잘 이해하고 학습할 수 있도록 In-context Learning 방식으로 하는 프롬프트 작성법을 알아보겠습니다.

1) 명확한 설명과 예시 제공

● 나쁜 예:

"음식점 리뷰를 써줘"

● 좋은 예:

"다음과 같은 형식으로 음식점 리뷰를 작성해주세요:
예시 리뷰:
식당이름: 행복한 식당
방문일자: 2024년 1월 15일

추천메뉴: 김치찌개

장점:

- 가격이 합리적함

- 밑반찬이 깔끔

단점:

- 주차가 어려움

별점: ★★★

위와 같은 형식으로 '서울식당'에 대한 리뷰를 작성해주세요."

2) 단계별로 나누어 설명하기

● 나쁜 예:

"사과 파이 레시피 알려줘"

● 좋은 예:

"사과 파이 레시피를 다음 순서로 설명해주세요:

1. 필요한 재료 목록

2. 준비 시간과 조리 시간

3. 단계별 조리 방법

4. 주의사항

5. 보관 방법

각 단계를 자세히 설명해주세요."

3) 실용적인 예시

● 이메일 작성 예시:

상황: 프로젝트 미팅 연기 메일 작성
"다음 이메일을 참고해서 새로운 이메일을 작성해주세요.

참고 이메일:

제목: 회의 일정 변경 요청

내용:

안녕하세요. 홍길동입니다.

내일 예정된 회의를 다음 주 월요일로 변경해 주실 수 있을까요?

갑작스러운 요청 죄송합니다.

회신 부탁드립니다.

감사합니다.

위 형식으로 '프로젝트 미팅 연기' 메일을 작성해주세요."

● 블로그 포스팅 예시:

"다음 예시처럼 반려동물 관련 블로그 글을 작성해주세요.

예시 포스트:

제목: 우리 집 고양이가 좋아하는 장난감 TOP 3

도입: 고양이와 함께 살면서 발견한 재미있는 사실!

본문:

1. 낚시대 장난감

　- 이유: 사냥 본능을 자극

　- 활용팁: 하루 10분씩 놀아주기

2. (계속...)

위 형식으로 '강아지 산책 필수품'에 대한 포스트를 작성해주세요."

AI와 대화할 때는 명확한 예시와 구체적인 지시가 중요합니다. 위의 방법들을 실제로 사용해보면서 자신만의 효과적인 프롬프트 작성 방법을 찾아보세요.

2. 도전! 심화된 프롬프트 템플릿

 ## 2-1. 심화된 프롬프트 템플릿
실전 활용 가이드

AI를 활용한 창작에서 효과적인 결과물을 얻기 위해서는 체계적인 프롬프트 템플릿 활용법을 이해하는 것이 중요합니다.

다음의 예시는 심화된 프롬프트 템플릿과 그 결과로 창작한 시 작품입니다.
(사용방법은 **'볼드 괄호' [???]** 부분에 원하는 내용을 입력하여 프롬프트를 완성하면 됩니다.)

"당신은 시인입니다. 다음 조건에 맞는 시를 작성하세요.

1. 주제는 [**상실**].

2. 감정은 [**괴로움**].

3. 형식은 [**4행 연 2개**].

4. 운율 구조는 [**AABB**].

5. 사용 언어는 [**상징**].

6. 이미지적 표현을 [**최소 2개 이상**].

7. 독자가 상상할 수 있는 구체적 묘사 포함.

8. 각 연의 마지막 줄은 강렬한 여운을 남기도록 구성.

9. 늦은 밤 시간대의 분위기를 반영.

10. 독자가 깊이 공감할 수 있는 메시지를 포함."

결과 = ChatGPT4o

시: 잃어버린 밤

깊은 밤, 창문 너머 달빛이 울고,
잿빛 구름이 기억을 삼키네.
바람은 속삭여, 잃어버린 그날을,
어둠 속 내 마음엔 무거운 돌이 앉았네.

별빛조차 등을 돌린 이 고요한 시간,
흐느끼는 나무는 오래된 이야기를 품네.
부서진 꿈 조각은 손끝에 피어나,
떠난 자리엔 여전히 공허만 남아있네.

ChatGPT

결과 = claude3.5 Sonnet
시: 잃어버린 밤

저물어가는 창가에서 우리는
희미한 사진 속에 잠드는
낡은 앨범 속 모든 얼굴들은
시간이란 먹물에 젖어드는

달빛 아래 흩어진 꽃잎처럼
추억들은 바람에 흔들리고
깊어지는 밤 그림자 사이로
공허함이 가슴을 베어지고

Claude

결과 = PerplexitySonar
시: 잃어버린 밤

달빛이 울고, 잿빛 구름이 기억을 삼키네.
깊은 밤 그림자 사이로 공허함이 가슴을 베어지고.
별빛조차 등을 돌린 이 고요한 시간,
흐느끼는 나무는 오래된 이야기를 품네.

부서진 꿈 조각은 손끝에 피어나,
떠난 자리엔 여전히 공허만 남아있네.
시간이란 먹물에 젖어드는.
공허함이 가슴을 베어지고.

Perplexity

● 프롬프트 템플릿 활용방법은 예시에서와 같이 먼저 **"당신은 시인입니다."**라는 명확한 역할 설정으로 시작하여, AI에게 시인으로서의 전문성을 부여합니다.

● 그리고 템플릿의 핵심은 10가지 세부 조건을 단계적으로 제시하는 것입니다. 시의 경우, '**주제, 감정, 형식, 운율 구조, 언어 사용, 이미지 표현, 구체적 묘사, 여운, 시간적 배경, 메시지**' 등 시의 필수 요소들을 빠짐없이 지정합니다. 예시로 든 '잃어버린 밤'이라는 시는 이러한 조건들이 잘 반영된 결과물입니다. "달빛이 울고", "흐느끼는 나무" 같은 표현에서 상실과 괴로움이라는 주제와 감정이 효과적으로 표현되었음을 확인할 수 있습니다.

● 시가 완성된 후에도 수정과 보완이 필요할 수 있습니다. 이때는 구체적인 수정 요청을 통해 더 나은 결과물을 얻을 수 있습니다. 예를 들어, **"첫 연의 감정을 더 격렬하게 표현해 주세요."** 또는 **"잿빛 구름 대신 다른 이미지를 사용해 주세요."**와 같이 명확한 수정 사항을 제시하면 됩니다. 감정의 강도를 조절하거나, 특정 단어나 이미지를 변경하는 등 세밀한 조정도 가능합니다.

● 수정 과정은 단계적으로 진행하는 것이 좋습니다. 한 번에 너무 많은 수정 사항을 요청하면 AI가 원래의 시가 가진 장점을 놓칠 수 있기 때문입니다. 1차 수정 후 결과를 검토하고, 필요한 경우 추가 수정을 요청하는 순환적 과정을 통해 완성도를 높여갈 수 있습니다.

● 특히 수정을 요청할 때는 단순히 변경 사항만 말하는 것이 아니라, 왜 그러한 수정이 필요한지 의도나 이유를 함께 설명하면 더 좋은 결과를 얻을 수 있습니다. 예를 들어, **"마지막 행의 여운을 더 강조해 주세요. 독자들에게 더 깊은 감동을 주기 위해 서입니다."**와 같이 설명을 덧붙이는 것입니다.

이렇게 템플릿과 결과 수정 과정을 통해, AI는 단순한 글쓰기 도구가 아닌 창작의 협력자로서 기능할 수 있습니다. 우리의 의도와 감성을 정확히 반영하면서도, AI 만의 창의적 표현을 더해 독특하고 감동적인 작품을 만들어낼 수 있습니다.

다음 장에서 소개될 프롬프트 템플릿은 아래 QR 코드 클라우드에서

무료로 다운로드 하실 수 있습니다.

2-2. 모든 글쓰기를 위한 심화된 프롬프트 템플릿

효과적인 글쓰기를 위해 23가지 전문화된 프롬프트 템플릿을 소개합니다. 각 템플릿은 특정 장르의 고유한 특성을 반영하여 설계되었으며, 글쓰기의 목적과 형식에 따라 최적화되어 있습니다. 이 템플릿들은 각각의 글쓰기가 필요로 하는 핵심 요소들을 체계적으로 담고 있습니다. (사용방법은 '**볼드 괄호**' **[???]** 부분에 원하는 내용템 입력하여 프롬프트를 완성하면 됩니다.)

1. 창작 소설 (Fiction Writing)

"당신은 숙련된 스토리텔러입니다. 다음 조건에 따라 소설을 작성하세요.

1. 주요 캐릭터 : [이름, 나이, 직업, 성격]

2. 배경 : [시간대, 장소, 사회적 환경]

3. 갈등 요소 : [가족, 직장, 내적 갈등 등]

4. 플롯 : [3막 구조로 전개]

5. 결말 : [극적인 변화, 반전 등]

6. 대화 : [감정을 반영하며 자연스럽게 구성]

7. 서술 방식 : [현재형, 과거형]

8. 독자층 : [청소년, 성인 등]

9. 서사를 통해 특정 메시지를 전달.

10. 장르와 분위기 : [판타지, 스릴러, 로맨스 등]"

2. 시 (Poetry)

"당신은 시인입니다. 다음 조건에 맞는 시를 작성하세요.

1. 주제 : [**자연, 사랑, 시간 등**]

2. 감정 : [**희망, 슬픔, 기쁨 등**]

3. 형식 : [**4행 연 3개**]

4. 운율 구조 : [**AABB, ABAB 등**]

5. 사용 언어 : [**비유, 은유, 상징**]

6. 이미지적 표현을 [**최소 2개 이상**]

7. 독자가 상상할 수 있는 구체적 묘사 포함.

8. 각 연의 마지막 줄은 강렬한 여운을 남기도록 구성.

9. 특정 계절이나 시간대의 분위기를 반영.

10. 독자가 깊이 공감할 수 있는 메시지를 포함."

3. 희곡 (Playwriting)

"당신은 극작가입니다. 다음 조건에 따라 희곡 대본을 작성하세요.

1. 주요 인물 : [**성격, 동기, 목표**]

2. 무대 배경 : [**구체적 장소와 시간**]

3. 대사 : [**인물의 성격과 갈등을 드러냄**]

4. 갈등 : [**내적 또는 외적 문제로 전개**]

5. 플롯 : [**도입, 갈등, 클라이맥스, 결말**]

6. 장면 전환 : [**2~3개의 주요 장면**]

7. 무대 지문은 시각적 요소를 강조.

8. 각 인물의 감정 변화를 뚜렷하게 표현.

9. 관객에게 주는 교훈 또는 메시지를 포함.

10. 대사는 자연스러우면서도 강렬한 인상을 남김."

4. 수필 (Essay)

"당신은 에세이 작가입니다. 다음 조건에 따라 수필을 작성하세요.

1. 주제 : [일상 경험, 사회적 이슈 등]

2. 서두 : [개인적 일화나 질문으로 시작]

3. 본문 : [3~5개의 관련 사례]

4. 각 사례 : [명확한 분석과 개인적 견해 포함]

5. 독자가 공감할 수 있는 감정을 전달.

6. 서술 톤 : [진지함, 유머, 감성적 등]

7. 결론 : [주제와 연결되는 교훈으로 마무리]

8. 독자층 : [일반 독자, 특정 연령대]

9. 글의 길이 : [500~1000 단어]

10. 에세이 전반에서 일관된 메시지를 유지."

5. 창작 동화 (Children's Story)

"당신은 동화 작가입니다. 다음 조건에 따라 이야기를 작성하세요.

1. 주요 캐릭터 : [동물, 어린이 등]

2. 배경 : [숲, 마을, 판타지 세계 등]

3. 플롯 : [교훈을 중심으로 한 모험 이야기]

4. 이야기의 시작 : [흥미를 끌기 위한 요소]

5. 주요 갈등과 해결 과정을 명확히 표현.

6. 사용 언어 : [간결하고 쉬운 단어]

7. 독자 : [5~10세 어린이]

8. 그림책 구성을 고려해 장면을 생생히 묘사.

9. 이야기의 교훈 : [협동, 용기, 정직 등]

10. 길이 : [500~1000 단어]"

6. 여행기 (Travelogue)

"당신은 여행 작가입니다. 다음 조건에 따라 여행기를 작성하세요.

1. 방문한 장소 : [**구체적인 도시나 국가**]

2. 여정의 시작과 끝을 명확히 서술.

3. 주요 명소와 활동 [**최소 3개 이상**] 묘사.

4. 음식, 문화, 사람들에 대한 경험 포함.

5. 독자가 상상할 수 있는 생생한 묘사.

6. 여행 중 느낀 감정과 교훈.

7. 추천 여행 팁 제공.

8. 사진을 활용한 구성 권장.

9. 글의 톤 : [**흥미롭고 친근함**]

10. 글의 길이 : [**1500~2000 단어**]"

7. 영화 대본 (Screenplay)

"당신은 시나리오 작가입니다. 다음 조건에 따라 영화 대본을 작성하세요.

1. 장르 : [**액션, 드라마, 로맨스 등**]

2. 주요 캐릭터 : [**성격, 동기, 목표**]

3. 플롯 : [**3막 구조**]

4. 대사 : [**캐릭터의 성격과 상황 반영**]

5. 주요 갈등과 해결 과정을 명확히 기술.

6. 배경 설명을 통해 장면을 구체화.

7. 카메라 지시와 장면 전환 명시.

8. 대본의 길이 : [**5~10분 단위**]

9. 클라이맥스는 시각적으로 강렬한 장면.
   엔딩은 강렬한 인상을 남김."

8. 감상문 (Review)

"당신은 평론가입니다. 다음 조건에 따라 감상문을 작성하세요.

1. 작품 : [책, 영화, 공연 등]

2. 간단한 줄거리 요약 포함.

3. 주요 장점과 단점을 [2~3개씩]

4. 인상 깊은 장면이나 구절 분석.

5. 작품의 메시지와 의도 평가.

6. 추천 여부와 이유 명시.

7. 독자층에게 적합성을 평가.

8. 작품의 역사적 또는 문화적 맥락 설명.

9. 글의 톤 : [객관적, 감성적]

10. 글의 길이 : [500~800 단어]"

9. 블로그 포스트 (Blog Post)

"당신은 블로거입니다. 다음 조건에 따라 블로그 글을 작성하세요.

1. 주제 : [여행, 기술, 자기계발 등]

2. 도입부 : [독자를 끌어들이는 질문이나 데이터]

3. 본문 : [5개의 핵심 포인트로 구성]

4. 각 포인트 : [구체적인 예시와 팁 포함]

5. 글의 톤 : [친근함, 전문적 등]

6. 시각 자료로 [이미지, 차트 등] 추천.

7. 결론 : [행동을 촉구하는 메시지]

8. SEO를 고려한 키워드 포함.

9. 독자의 댓글과 공유를 유도.

10. 글의 길이 : [800~1200 단어]"

2nd Part. 고급 프롬프팅과 실전 템플릿 사용하기!
: Advanced **Prompting** and Using Practical **Templates**!

10. 보고서 (Report)

"당신은 보고서 작성자입니다. 다음 조건에 따라 보고서를 작성하세요.

1. 주제 : [비즈니스, 과학, 교육 등]

2. 서론 : [문제 정의 및 목표]

3. 본문 : [데이터 분석 및 결과]

4. 통계와 도표를 [최소 2개 이상] 포함.

5. 결론 : [핵심 결과 요약]

6. 권장 사항을 구체적으로 제안.

7. 보고서의 길이 : [2~3페이지]

8. 객관적인 톤으로 서술.

9. 인용 및 참고 문헌 포함.

10. 가독성을 높이기 위한 명확한 헤드라인 구성."

11. 기사 작성 (News Article)

"당신은 기자입니다. 다음 조건에 따라 기사를 작성하세요.

1. 주제 : [사회, 경제, 환경 등]

2. 도입부 : [5W1H를 포함한 간결한 요약]

3. 본문 : [주제의 배경과 주요 정보]

4. 인터뷰 또는 인용문 포함.

5. 객관적 사실에 기반.

6. 시각 자료를 활용하여 정보 전달.

7. 결론 : [추가 정보나 독자의 행동 유도]

8. 독자층 : [일반 독자, 전문 독자 등]

9. 글의 길이 : [600~1000 단어]

10. 제목은 짧고 주제를 정확히 반영."

12. 인터뷰 기사 (Interview Article)

"당신은 인터뷰 기사 작성자입니다. 다음 조건에 따라 기사를 작성하세요.

1. 인터뷰 대상 : [직업, 업적, 독특한 경험 등]

2. 인터뷰의 주제 : [특정 분야나 이슈]

3. 질문 : [최소 5개 이상] 작성하고 각 답변을 요약.

4. 대상자의 배경을 간략히 소개.

5. 인터뷰 도입부는 독자의 호기심을 자극.

6. 인터뷰에서 나온 핵심 메시지를 강조.

7. 독자가 공감하거나 배울 점을 제시.

8. 글의 톤 : [객관적, 친근함]

9. 사진이나 시각 자료 사용을 추천.

10. 글의 길이 : [800~1200 단어]"

13. 기술 문서 (Technical Documentation)

"당신은 기술 문서 작성자입니다. 다음 조건에 맞는 문서를 작성하세요.

1. 주제 : [소프트웨어 사용법, 제품 설명 등]

2. 독자 : [초보자, 중급 사용자 등]

3. 문서의 목적 : [문제 해결, 기능 설명]

4. 각 단계를 번호로 나눠 간결하게 서술.

5. 기술 용어는 설명과 함께 제공.

6. 화면 캡처나 다이어그램을 포함.

7. FAQ 섹션을 추가.

8. 글의 톤 : [명확하고 간결]

9. 목차와 참고 자료 포함.

10. 글의 길이 : [2~5페이지]"

2nd Part. 고급 프롬프팅과 실전 템플릿 사용하기!
: Advanced **Prompting** and Using Practical **Templates**!

14. 탐구 보고서 (Research Paper)

"당신은 연구 보고서 작성자입니다. 다음 조건에 맞는 보고서를 작성하세요.

1. 주제 : [**특정 과학적 또는 사회적 문제**]

2. 서론 : [**문제의 정의와 연구 목표**]

3. 문헌 검토 섹션을 포함.

4. 데이터 분석 및 결과 : [**표나 그래프 활용**]

5. 결론 : [**연구 결과 요약 및 시사점**]

6. 연구 방법론을 명확히 기술.

7. 글의 톤 : [**객관적이고 학문적**]

8. 참고 문헌 섹션 포함.

9. 각 섹션은 명확한 헤더로 구분.

10. 글의 길이 : [**3000~5000 단어**]"

15. 광고 카피 (Ad Copywriting)

"당신은 광고 카피라이터입니다. 다음 조건에 따라 광고 문구를 작성하세요.

1. 제품/서비스 : [**구체적으로 명시**]

2. 타겟 고객 : [**연령, 성별, 관심사 등**]

3. 카피 : [**단어 수 제한, 예: 50자 이내**]

4. 메시지 : [**감성적, 실용적 등**]

5. 제품의 주요 장점을 강조.

6. 콜투액션(Call to Action)을 포함.

7. 유머나 창의적인 표현을 활용.

8. 로고와 브랜드 슬로건에 맞는 톤 유지.

9. 다양한 플랫폼(SNS, 포스터 등)에 적합한 형식.

10. 경쟁 제품과의 차별성을 명확히 표현."

16. 뉴스레터 (Newsletter)

"당신은 뉴스레터 작성자입니다. 다음 조건에 맞는 콘텐츠를 작성하세요.

1. 타겟 독자 : [**구독자 특성**]

2. 메인 주제 : [**최신 소식, 팁 등**]

3. 최소 3개의 섹션으로 구성.

4. 각 섹션은 간결하게 요약.

5. 시각적 요소(이미지, 링크 등) 활용.

6. 구독자의 행동을 유도하는 CTA 포함.

7. 글의 톤 : [**친근하고 명확**]

8. 개인화된 인사말 추가.

9. 이메일 제목은 주목을 끌도록 구성.

10. 길이 : [**300~500 단어**]"

17. 상품 리뷰 (Product Review)

"당신은 상품 리뷰어입니다. 다음 조건에 맞는 리뷰를 작성하세요.

1. 제품 : [**구체적인 이름**]

2. 주요 기능과 특징 설명.

3. 장점과 단점을 [**3개씩**] 나열.

4. 사용 경험을 구체적으로 서술.

5. 대상 독자에게 적합성을 평가.

6. 가격 대비 가치 분석.

7. 추천 여부 명시.

8. 경쟁 제품과 비교.

9. 시각적 자료(사진, 동영상) 추천.

10. 글의 길이 : [**500~1000 단어**]"

2nd Part. 고급 프롬프팅과 실전 템플릿 사용하기!
: Advanced **Prompting** and Using Practical **Templates**!

18. 캠페인 문구 (Campaign Slogan)

"당신은 마케팅 전문가입니다. 다음 조건에 따라 캠페인 문구를 작성하세요.

1. 캠페인 목표 : [제품 판매, 브랜드 인지도 상승 등]

2. 타겟 고객 : [연령, 성별, 관심사]

3. 주요 메시지 : [단순하고 기억에 남을 표현]

4. 문구 : [10자 이내]

5. 유머나 창의성을 활용하여 호기심을 자극.

6. 브랜드의 고유 가치를 반영.

7. 경쟁사와 차별화된 요소를 포함.

8. 특정 감정을 자극 (예: 신뢰, 열정).

9. 로고와 함께 자연스럽게 어울리도록 구성.

10. 소셜 미디어에서도 사용 가능한 문구."

19. 사업 계획서 (Business Plan)

"당신은 사업 계획서 작성자입니다. 다음 조건에 따라 계획서를 작성하세요.

1. 사업의 목표 : [구체적 목적, 예: 신규 시장 진출]

2. 비즈니스 모델을 명확히 기술.

3. 제품 또는 서비스의 주요 특징 설명.

4. 시장 분석을 포함 (목표 시장, 경쟁 상황).

5. 마케팅 전략을 구체적으로 제시.

6. 재무 계획 (수익 모델, 예상 비용).

7. 팀 구성과 역할을 명시.

8. 단기 및 장기 목표를 구분.

9. 예상 리스크와 대응 방안을 제안.

10. 글의 톤 : [전문적이고 설득적]."

20. 이력서 자기소개서 (Resume & Cover Letter)

"당신은 취업 지원자입니다. 다음 조건에 따라 자기소개서를 작성하세요.

1. 지원 직무 : [**구체적인 직업/포지션**]

2. 자신의 강점을 [**3~5가지**] 나열.

3. 관련 경력과 성과를 구체적으로 설명.

4. 회사에 대한 관심과 동기를 명확히 제시.

5. 문장은 간결하고 직관적으로 구성.

6. 긍정적이고 자신감 있는 어조 사용.

7. 지원하는 회사의 미션과 일치하는 가치 포함.

8. 마무리에는 인터뷰 기회를 요청.

9. 표준 형식을 따르되 창의적인 요소도 가미.

10. 글의 길이 : [**1페이지**]"

21. 교육 자료 (Educational Material)

"당신은 교육 자료 작성자입니다. 다음 조건에 따라 자료를 준비하세요.

1. 대상 : [**초등학생, 대학생, 성인 학습자 등**]

2. 주제 : [**과학, 역사, 기술 등**]

3. 자료 : [**10분 내외 강의에 적합**]

4. 핵심 포인트를 [**3~5개로 구성**]

5. 시각 자료(그림, 표) 포함.

6. 간단한 퀴즈나 활동 추가.

7. 전문 용어는 쉬운 언어로 설명.

8. 학습 목표를 처음에 명확히 제시.

9. 학습자가 복습할 수 있는 요약 섹션 포함.

10. 글의 톤 : [**명확하고 친근**]"

22. 건강 칼럼 (Health Column)

"당신은 건강 칼럼니스트입니다. 다음 조건에 따라 칼럼을 작성하세요.

1. 주제 : [**운동, 식단, 정신 건강 등**]

2. 대상 독자 : [**청소년, 중장년층 등**]

3. 최신 연구나 통계를 활용하여 신뢰성 확보.

4. 실생활에서 적용 가능한 팁 제공.

5. 글의 톤 : [**전문적이지만 친근함**]

6. 질문 형식으로 독자의 관심을 유도.

7. 요약 섹션에 핵심 내용을 정리.

8. 관련 자료나 추가 정보 링크 포함.

9. 글의 길이 : [**600~1000 단어**]

10. 읽은 후 행동할 동기를 부여하는 결론 작성."

23. 문제 해결 보고서 (Problem-Solving Report)

"당신은 문제 해결 전문가입니다. 다음 조건에 따라 보고서를 작성하세요.

1. 문제의 정의와 배경 설명.

2. 문제의 원인을 최소 [**3가지**] 분석.

3. 가능한 해결책을 [**2~3개**] 제안.

4. 각 해결책의 장단점을 비교.

5. 최선의 해결책을 추천하고 이유를 설명.

6. 예상되는 결과를 명확히 제시.

7. 데이터와 사례를 활용하여 설득력 강화.

8. 해결 과정에서 발생할 수 있는 리스크를 분석.

9. 글의 톤 : [**논리적이고 실용적**]

10. 결론에서는 실행 방안을 요약."

지금까지 소개된 23가지 템플릿은 다양한 장르의 글쓰기를 위한 기본적인 틀을 제공합니다. 이 템플릿들은 글쓰기를 시작하는 출발점이지만, 더 효과적인 활용을 위해서는 몇 가지 중요한 원칙들을 기억해야 합니다.

● 먼저, 모든 템플릿은 상황에 맞게 조정이 가능합니다. 글의 목적과 대상 독자를 고려하여 템플릿의 조건들을 수정하고 보완할 수 있습니다. 이때 각 장르의 핵심적인 요소들은 유지하되, 세부적인 사항들은 필요에 따라 유연하게 조정하시기 바랍니다.

● 또한, AI가 제공하는 첫 번째 결과물은 완성된 형태가 아닌 초안으로 보는 것이 좋습니다. 필요한 경우 추가적인 수정과 보완을 요청할 수 있으며, 최종 결과물에 대한 꼼꼼한 검토와 교정 과정은 필수적입니다. 이는 더 나은 품질의 글을 만들어내는 중요한 단계입니다.

● 더 나아가, 이러한 템플릿들을 창의적으로 활용하는 것도 권장됩니다. 서로 다른 장르의 템플릿을 조합하여 새로운 형식을 만들어내거나, 장르의 경계를 넘어서는 실험적인 시도를 해볼 수 있습니다. 궁극적으로는 이러한 경험을 토대로 자신만의 독특한 템플릿을 개발하게 될 것입니다.

이상의 프롬프트 템플릿들은 AI와의 창의적 협업을 위한 시작점입니다. 실제 사용 경험을 통해 각자에게 가장 효과적인 프롬프트 패턴을 발견하고, 이를 지속적으로 발전시켜 나간다면, AI는 더욱 강력한 글쓰기 협력자가 될 것입니다.

2nd Part. 고급 프롬프팅과 실전 템플릿 사용하기!
: Advanced **Prompting** and Using Practical **Templates**!

참고로 다음은 이상의 최적화된 템플릿을 효과적으로 사용할 수 있는 AI 모델을 소개합니다. QR 코드를 통해 해당 서비스로 이동하여 사용해 보시기 바랍니다.

● **챗GPT (ChatGPT) :**
OpenAI의 GPT-4 기반 모델로, 자연스러운 대화와 다양한 주제에 대한 답변을 생성합니다.

● **클로드(Claude) :** Anthropic의 AI 모델로, 안전하고 유용한 대화를 목표로 설계되었습니다.

● **퍼플렉시티(Perplexity) :** 실시간 검색 결과와 출처를 제공하는 AI로, 최신 정보에 대한 정확한 답변을 제공합니다.

● **딥시크(DeepSeek) :** Mixture-of-Experts(MoE) 아키텍처를 활용하여 높은 성능과 효율성을 자랑합니다.

2-3. 심화된 프롬프트 템플릿으로 실제 작품 생성 확인

이상의 준비된 23가지 전문화된 프롬프트 템플릿을 사용하여, 실제 작품 생성에 도전해 보겠습니다. 다음의 프롬프트로 만들어진 단편소설 작품을 소개하여 드립니다.

"당신은 숙련된 스토리텔러입니다. 다음 조건에 따라 '단편소설'을 작성하세요.
1. 주요 캐릭터 : [미소베 : 지적이고 매력적인 여성 (30세), 곤도 : 미소베의 남편 미즈호은행, 외국환 투자 담당자 (40세), 오가와 : 도쿄도 수사관 (28세)]
2. 배경 : [2025년, 도쿄도 , 아자부주반, 외교공관 거리의 저택]
3. 갈등 요소 : [2개월 전의 저택 강도/도난사건, 미나토구로 이사를 준비하는 두 부부, 내적 갈등, 서서히 드러나는 곤도의 살인과 은폐 사건, 드러나는 사망한 피해자 여성(사나에)과 미소베의 관계, 도난 사건으로 시작해서 살인사건의 범인으로 드러나는 사건, 이사를 하려는 진짜 이유가 또 다른 반전]
4. 플롯 : [반전이 있는 단편소설, 4000자 이내]
5. 결말 : [극적인 반전 - 미소베와 오가와의 준비된 음모]
6. 대화 : [감정을 반영하며 자연스럽게 구성]
7. 서술 방식 : [전체 3파트의 구성, 첫 번째 파트는 곤도의 관점, 2번째 파트는 오가와의 관점, 3번째 파트는 미소베의 관점으로 구성]
8. 독자층 : [성인용]
9. 도쿄의 특정 지명과 장소를 포함하여 현장감을 살릴 것.
10. 장르와 분위기 : [스릴러, 불길한, 살인사건, 반전]"

단편소설 : "주반의 시선"

[Part 1 - 곤도의 시선]

도쿄의 겨울 하늘이 잿빛으로 물들어갈 때쯤, 곤도는 미즈호 은행 본사를 나섰다. 35층 딜링룸에서의 하루는 늘 긴장의 연속이었지만, 오늘은 특히 더 불안했다. 2개월 전 그날처럼.

아자부주반의 저택 현관에 들어서자 낯익은 구두 한 켤레가 보였다.
"여보, 오가와 형사님이 오셨어요."
미소베의 목소리가 응접실에서 들려왔다.

오가와는 곤도를 보자 공손히 일어났다.
"곤도 상, 도난 사건 관련해서 몇 가지 더 여쭤볼 것이 있습니다."

곤도는 또다시 불편해졌다.

"특히 사나에 씨와 관련해서 말입니다."
오가와의 말에 곤도의 손이 떨렸다. 사나에. 그 이름을 들을 때마다 지하 와인셀러가 떠올랐다.

[Part 2 - 오가와의 시선]

오가와는 아자부 경찰서로 돌아와 증거품을 다시 살폈다. 도난당했다는 보석들의 사진, 깨진 유리창, 그리고... 사나에의 실종 파일.

"범행 현장이 너무 완벽해. 마치 누군가가 의도적으로 꾸민 것처럼."

CCTV 영상을 돌려보다가 그는 미소베의 수상한 행적을 발견했다. 도난 사건 발생 이틀 전, 그녀는 사나에와 만났다. 둘은 게이오 정경숙(慶應義塾, Keio Gijuku)의 동기동창이었다.

"미소베 씨, 당신은 알고 있었죠?"
다음날 미소베를 심문하며 오가와가 물었다.
"사나에 씨가 당신 남편을 만나고 있었다는 것을."

미소베의 차분한 표정이 순간 일그러졌다.

[Part 3 - 미소베의 시선]

미소베는 와인셀러 앞에 서서 열쇠를 만졌다. 이곳에 모든 것이 있었다. 사나에의 마지막 순간도, 곤도의 범행 증거도.

"사나에, 미안해..."
그녀는 속삭였다. 고등학교 때부터 가장 친한 친구였던 사나에. 곤도와의 불륜을 알게 된 후, 그녀는 선택을 해야 했다.

미나토구로의 이사는 도주 계획이었다. 하지만 그건 곤도의 계획이었고, 미소베에겐 다른 계획이 있었다.

"오가와 형사님, 이제 됐나요?"
그녀는 전화기를 들었다.
"네, 완벽합니다. 녹음도 확실히 됐고, 범행 도구도 찾았습니다."

와인셀러에서 발견된 것은 사나에의 유품과 곤도의 살인 증거였다. 도난 사건은 미소베의 계획. 남편의 살인을 밝히기 위한 완벽한 미끼였다.

"즉시 체포하겠습니다."
오가와의 말이 끝나기도 전에 곤도가 현관에 들어섰다.

"뭐하는...?"
"곤도 마사시 씨, 사나에 코야마 씨 살해 혐의로 체포하겠습니다."

미소베는 남편을 바라보았다.
"2개월 전, 당신이 사나에를 죽이던 날, 난 모든 걸 봤어요. 와인셀러 밖에서."

곤도의 얼굴이 핏기를 잃었다.
"하지만 난... 당신을 위해서..."

"아니요, 당신의 투자 실패를 알게 된 사나에를 막으려고 죽인 거죠. 내 친구를..."

경찰들이 곤도를 연행해 나갈 때, 미소베는 오가와를 돌아보았다.
"이제 끝났나요?"

"네, 하지만 도난 사건 위장죄로 미소베 씨도 조사는 받으셔야 합니다."

"알고 있어요. 이게 사나에를 위한 마지막 선물이니까요."

아자부주반의 저택에 붉은 노을이 지고있다.
그곳에서 시작된 욕망과 배신,
그리고 복수는 노을과 함께 저물어 갔다.

결과물은 수정 요청을 통해 다시 제작할 수 있습니다.

수정, 보완이 필요한 부분을 프롬프트로 만들어 다시 요청하여 작품의 완성도를 단계적으로 높혀나갈 수 있습니다.

내용이 다소 평이합니다. 다음 사항을 참고하여 다시 써주세요.

수정사항 예사:
문체: [히가시 게** 작가의 문체로 문학적이고 지적인 스타일로 다시 써주세요.]

구성 : [단편소설 작법, '매의 이론'을 적용하여 극적인 반전을 포함해주세요.]

결말부 : [상식적이지 않은 인물간의 충격적인 관계를 제시해주세요.]

시점 : [인물 간의 시점이 극단적으로 차별 되도록 써주세요.]

인물 : [등장 인물이 긴박하게 장소를 옮겨다니며, 이야기가 진행되도록 써주세요.]
...

3rd Part.
프롬프트 엔지니어링
용어 설명서!
: A Guide to Prompt Engineering
Terminology!

3rd Part에서는 프롬프트 엔지니어링의 핵심 용어를 체계적으로 설명합니다. 초핵심 개념, 핵심 개념, 전문 개념으로 나누어 프롬프트 엔지니어링의 기본 용어부터 고급 용어까지 다루며, AI 모델과 관련된 기술적 용어와 응용 사례, 도구를 소개합니다. 이를 통해 프롬프트 엔지니어링의 전반적인 이해를 돕고, 실질적인 창작과 활용 가능성을 높입니다.

프롬프트 엔지니어링 용어의 이해와 활용
: Understanding and Utilizing Prompt Engineering Terminology

인공지능(AI)은 현대 사회에서 필수 불가결한 기술로 자리 잡았습니다. 그리고 AI 기술의 중심에는 "프롬프트 엔지니어링"이 있습니다. 프롬프트 엔지니어링은 AI 모델과 상호작용하고, 원하는 결과를 도출하는 데 있어서 매우 중요한 역할을 하고 있습니다. 그러나 이러한 중요한 기술임에도 불구하고, 아직 많은 사람들에게는 생소한 분야로 남아 있습니다. 이번 파트는 프롬프트 엔지니어링의 기본 개념부터 고급 개념에 이르기까지 핵심 용어 사전으로 준비했습니다.

프롬프트 엔지니어링 용어 사전은 다음과 같이 다섯 개의 장으로 체계화하여 구성하였습니다. 각각의 장은 다음과 같습니다.

3rd Part. 프롬프트 엔지니어링 용어 설명서!
: A Guide to **Prompt Engineering** Terminology!!

1. 프롬프팅 기본 용어

2. 프롬프팅 기법

3. AI 모델 관련 용어

4. 응용 사례 및 도구

5. 관련 기술과 개념

각 장은 '초핵심 개념' (**super core terms**), '핵심 개념' (**core terms**) 그리고 '전
문 개념' (고급 수준의 용어) (**high-level terms**)으로 구성되어 있으며, 이들 각각
은 난이도와 중요도에 따라 계층적으로 구분됩니다. '초핵심 개념'은 프롬프트 엔
지니어링을 시작하는 데 필수적인 기본 용어들을, '핵심 개념'은 실무에서 자주
사용되는 중급 수준의 용어들을, '전문 개념'은 고급 기술 구현이나 연구에 필요
한 전문적인 용어들을 다룹니다. 이러한 체계적인 구성을 통해 여러분께서는 단
계적으로 용어를 익히고 이해하실 수 있습니다.

2025 국가대표 프롬프트 엔지니어
The ultimate guide for future **prompt engineers**

1. 프롬프팅 기본 용어
(Fundamental Prompting Terms)

프롬프트 엔지니어링의 기본 용어는 이 분야를 이해하기 위한 필수적인 출발점으로, 프롬프트, 모델, 입력, 출력과 같은 핵심 용어들을 포함합니다. 이러한 기본 개념을 명확히 이해하면 탄탄한 기초가 형성되어 AI와 자연어 처리 기술에 대한 자신감이 생기고, 심화 주제 학습도 수월해지며, 실무에서도 AI 기술을 효율적으로 활용할 수 있게 됩니다. 따라서 기본 개념을 체계적으로 익히는 것은 프롬프트 엔지니어링의 성공적인 학습과 실무 활용을 위한 중요한 첫걸음이라고 할 수 있습니다.

초핵심 개념 (super core terms)

● 프롬프트 (Prompt)
- AI 모델이 응답을 생성하기 위해 입력으로 받는 문장, 질문, 명령 등.
- (예) "오늘 날씨가 어때?"라는 질문을 프롬프트로 입력하면, AI가 해당 질문에 대한 응답을 생성.

● 출력 (Output)
- 프롬프트에 기반해 AI 모델이 생성하는 응답이나 결과물.
- (예) "오늘 날씨가 어때?"라는 프롬프트에 대한 출력은 "오늘은 맑고 화창합니다."와 같은 문장.

● 모델 (Model)
- 데이터를 학습하여 입력(프롬프트)에 따라 출력을 생성하는 인공지능 알고리즘.
- (예) GPT-4, ChatGPT 등이 모델의 대표적인 예.

● 컨텍스트 (Context)
- 프롬프트에 포함된 추가 정보나 연결된 이전 대화 내용을 기반으로 모델이 응답을 생성하는 데 참고하는 요소.
- (예) 대화에서 "그건 참 좋은 생각이에요."라는 출력은 이전 프롬프트 "우리가 내일 산책을 가는 게 어때요?"에 대한 응답일 수 있음.

● 데이터셋 (Dataset)
- 모델 학습에 사용되는 데이터의 모음.
- (예) 인터넷에서 수집한 텍스트, 뉴스 기사, 책 등으로 구성된 대규모 데이터셋.

생성형 AI (Generative AI)
- 새로운 데이터를 생성하는 AI 기술.
- (예) 소설을 쓰거나 그림을 그리는 데 활용되는 AI.

입력 형식 (Input Format)
- 모델이 이해할 수 있도록 텍스트를 구성하는 방식.
- (예) 질문과 선택지를 나열한 퀴즈 형식.

출력 형식 (Output Format)
- 모델이 생성하는 응답의 구조.
- (예) JSON 형식으로 생성된 구조화된 데이터.

핵심 개념 (core terms)

토큰 (Token)
- 텍스트를 모델이 처리할 수 있는 단위로 나눈 조각. 단어, 문자의 조합, 또는 의미론적 단위.
- (예) "ChatGPT는 유용합니다"를 토큰 단위로 나누면 ["ChatGPT", " ", "는", " ", "유", "용", "합", "니", "다"]로 표현.

학습 (Training)
- 모델이 대규모 데이터셋을 통해 패턴과 규칙을 학습하는 과정.
- (예) 언어 모델이 수백억 개의 문서를 읽고 문장 구조와 문맥을 이해하도록 훈련받음.

3rd Part. 프롬프트 엔지니어링 용어 설명서!
: A Guide to **Prompt Engineering** Terminology!!

● 사전 학습 (Pre-training)

● 대규모 데이터셋에서 일반적인 패턴과 언어 구조를 학습하는 초기 단계.

● (예) GPT 모델은 방대한 양의 텍스트를 사용해 사전 학습을 완료.

● 파인튜닝 (Fine-tuning)

● 특정 용도나 분야에 맞게 모델을 추가적으로 학습시키는 과정.

● (예) 의료 데이터로 GPT 모델을 파인튜닝하여 의학 관련 질문에 최적화된 응답을 제공.

● 제로샷 (Zero-shot)

● 예시 없이 프롬프트만으로 작업을 수행하도록 설정하는 방식.

● (예) "이 문장을 프랑스어로 번역해 주세요."와 같은 지시를 모델에 바로 전달.

● 원샷 (One-shot)

● 하나의 예시를 제공한 뒤 작업을 수행하도록 설정하는 방식.

● (예) "(예) '안녕하세요'는 영어로 'Hello'입니다. 이제 '고맙습니다'를 영어로 번역해 주세요."

● 퓨샷 (Few-shot)

● 여러 개의 예시를 제공하여 모델이 작업을 수행하도록 설정하는 방식.

● (예) "(예) '안녕하세요'는 영어로 'Hello'입니다. '고맙습니다'는 영어로 'Thank you'입니다. 이제 '좋은 아침입니다'를 영어로 번역해 주세요."

전문 개념 (high-level terms)

● 생각의 연쇄 (Chain of Thought)
- 복잡한 문제를 단계별로 해결하기 위해 모델이 사고 과정을 설명하며 작업을 수행하는 방식.
- (예) "24x36은 20x36 + 4x36으로 계산됩니다. 결과는 864입니다."

● 파라미터 (Parameter)
- 모델의 동작을 결정하는 가중치나 변숫값.
- (예) GPT-4는 수십억 개의 파라미터로 구성되어 있음.

● 임베딩 (Embedding)
- 텍스트 데이터를 고정 크기의 벡터로 변환한 표현 방식.
- (예) "고양이"라는 단어는 특정 벡터 [0.2, 0.8, −0.3]로 표현될 수 있음.

● RLHF (Reinforcement Learning from Human Feedback)
- 인간 피드백을 활용해 모델의 출력을 개선하는 강화 학습 기법.
- (예) 사용자의 평가를 기반으로 부적절한 응답을 줄이고 유용한 응답을 증가시킴.

● 하이퍼파라미터 (Hyperparameter)
- 모델 학습 과정에서 설정하는 값.
- (예) 학습 속도(learning rate), 배치 크기(batch size) 등.

● **다중 모달 (Multimodal)**
- 텍스트뿐만 아니라 이미지, 오디오 등 다양한 입력 데이터를 처리하는 모델.
- (예) 이미지를 설명하거나 음성을 텍스트로 변환하는 AI 시스템.

● **과적합 (Overfitting)**
- 모델이 학습 데이터에 너무 특화되어 새로운 데이터에 일반화하지 못하는 현상.
- (예) 특정 문장 패턴에만 반응하고 새로운 문장에는 잘못된 출력을 생성.

● **일반화 (Generalization)**
- 모델이 학습 데이터 외의 새로운 데이터에도 적절히 반응하는 능력.
- (예) "새로운 영화 추천해줘."라는 요청에 다양한 영화를 추천.

● **바이어스 (Bias)**
- 데이터나 모델 설계에 의해 발생하는 편향된 출력.
- (예) 특정 인종이나 성별에 대해 고정관념이 반영된 응답.

● **출력 신뢰성 (Output Reliability)**
- 모델의 응답이 정확하고 신뢰할 수 있는 정도.
- (예) "뉴턴의 제1법칙을 설명해줘."라는 질문에 정확한 물리 법칙을 설명하는 응답.

● **제한 사항 (Limitations)**
- 모델의 기술적, 윤리적 한계.
- (예) 최신 정보가 부족하거나, 특정 언어에 대한 지원이 미흡.

● **강화 학습 (Reinforcement Learning)**
- 행동과 결과에 대한 보상을 통해 모델을 개선하는 학습 방법.
- (예) 사용자가 긍정적인 피드백을 준 응답을 학습에 반영.

● 기저 모델 (Base Model)

- 파인튜닝 전에 사용되는 사전 학습된 모델.
- (예) GPT-4는 다양한 작업에 파인튜닝되기 전의 기저 모델로 사용됨.

● 디버깅 (Prompt Debugging)

- 프롬프트를 수정하여 원하는 출력을 얻기 위한 과정.
- (예) "답변이 너무 짧습니다."라는 문제를 해결하기 위해 "더 자세히 설명해 주세요."를 추가.

2. 프롬프팅 기법
(Prompting Techniques)

프롬프팅 기법은 AI가 더 효과적으로 응답하도록 돕는 다양한 전략으로, 명확한 요청, 점진적 생성, 온도 조절과 같은 기법들을 포함합니다. 이러한 기법들을 활용하면 AI의 잠재력을 극대화하여 더 정교하고 유용한 결과를 얻을 수 있으며, 복잡하거나 모호한 문제에 대해 더 창의적이고 유연하게 대처할 수 있고, 실무에서도 AI 기술을 효율적으로 적용할 수 있는 역량이 크게 향상됩니다. 따라서 프롬프트 기법은 AI를 다루는 데 있어 핵심적인 도구이며, 다양한 상황에서 문제 해결과 작업 효율을 높이는 데 필수적인 역할을 하므로, 지속적인 실험과 학습을 통해 이러한 기법들을 숙달하는 것이 중요합니다.

초핵심 개념 (super core terms)

- **명확한 요청 기법 (Clarity Technique)**
  - 응답을 명확히 하기 위해 구체적으로 요청하는 기법.
  - (예) "다음 문장을 20단어 이내로 요약해 주세요."

- **단계별 접근 기법 (Step-by-step Technique)**
  - 문제를 단계적으로 해결하도록 지시하는 기법.
  - (예) "이 수학 문제를 단계별로 풀어 주세요."

- **맥락 추가 기법 (Context Addition Technique)**
  - 배경 정보를 추가하여 응답의 정확성을 높이는 기법.
  - (예) "1980년대 미국 경제 상황을 바탕으로 이 사건을 분석해 주세요."

- **예시 제공 기법 (Example Provision Technique)**
  - 모델이 작업을 이해하도록 예시를 제공하는 기법.
  - (예) "(예) '고맙습니다'는 영어로 'Thank you'입니다. 이제 '안녕하세요'를 영어로 번역해 주세요."

- **제약 조건 설정 기법 (Constraint Setting Technique)**
  - 응답에 대한 특정 제약 조건을 설정하는 기법.
  - (예) "100자 이내로 답변해 주세요."

핵심 개념 (core terms)

● 다중 작업 요청 기법 (Multi-tasking Technique)

- 한 번에 여러 작업을 요청하는 기법.
- (예) "이 문장을 번역하고 요약해 주세요."

● 피드백 기반 반복 기법 (Feedback Iteration Technique)

- 이전 출력에 대한 피드백을 반영하여 수정 요청.
- (예) "이전 응답이 너무 일반적입니다. 더 구체적으로 작성해 주세요."

● 조건부 출력 기법 (Conditional Output Technique)

- 특정 조건에 따라 다른 출력을 생성하도록 요청하는 기법.
- (예) "만약 이 주장이 사실이라면, 이에 따른 결과를 설명해 주세요."

● 역할 부여 기법 (Role Assignment Technique)

- 모델에 특정 역할을 부여하여 응답을 유도하는 기법.
- (예) "당신은 환경 과학자입니다. 이 문제를 분석해 주세요."

● 시간 관리 기법 (Time Management Technique)

- 시간이나 시점을 명확히 지정하여 작업을 요청하는 기법.
- (예) "2025년 기준으로 최신 정보를 사용해 주세요."

전문 개념 (high-level terms)

● **창의적 발상 유도 기법 (Creative Thinking Technique)**
  ● 창의적인 응답을 유도하기 위해 열린 질문을 사용하는 기법.
  ● (예) "미래의 도시를 상상하여 묘사해 주세요."

● **오류 수정 기법 (Error Correction Technique)**
  ● 잘못된 정보를 식별하고 수정하도록 요청하는 기법.
  ● (예) "이 문장에 있는 문법 오류를 찾아 고쳐 주세요."

● **비교 분석 기법 (Comparative Analysis Technique)**
  ● 두 가지 이상의 항목을 비교하도록 요청하는 기법.
  ● (예) "A와 B의 장단점을 비교해 주세요."

● **요점 강조 기법 (Key Point Highlighting Technique)**
  ● 텍스트에서 주요 내용을 강조하도록 요청하는 기법.
  ● (예) "이 문서에서 핵심 사항만 골라 주세요."

● **데이터 변환 기법 (Data Transformation Technique)**
  ● 데이터를 다른 형식으로 변환하도록 요청하는 기법.
  ● (예) "다음 JSON 데이터를 테이블로 변환해 주세요."

● **질문 재구성 기법 (Question Reformulation Technique)**
  ● 질문을 다른 방식으로 표현하여 더 나은 응답을 유도하는 기법.
  ● (예) "위의 질문을 더 간결하게 만들어 주세요."

● **감정 분석 기법 (Sentiment Analysis Technique)**

- 텍스트의 감정을 분석하도록 요청하는 기법.
- (예) "이 리뷰의 감정이 긍정적인지 부정적인지 분석해 주세요."

● **설명 확장 기법 (Explanation Expansion Technique)**

- 간단한 응답을 더 자세히 설명하도록 요청하는 기법.
- (예) "이 응답을 더 구체적으로 설명해 주세요."

● **사용자 맞춤화 기법 (Personalization Technique)**

- 사용자의 선호나 상황에 맞춘 응답을 요청하는 기법.
- (예) "제 관심사에 맞는 책을 추천해 주세요."

● **패턴 식별 기법 (Pattern Recognition Technique)**

- 데이터에서 패턴을 식별하도록 요청하는 기법.
- (예) "이 데이터에서 반복되는 트렌드를 찾아 주세요."

3. AI 모델 관련 용어 (AI Model-Related Terminology)

AI 모델 관련 용어는 AI 시스템이 작동하고 학습하며 결과를 도출하는 원리를 이해하는 데 필수적인 지식을 제공하며, 언어 모델, 신경망, 강화 학습과 같은 기술적 개념을 포함합니다. 이러한 용어들을 익히면 AI의 기본 원리와 동작 방식을 이해할 수 있고, 특정 과제에 적합한 모델을 선택하거나 활용하는 능력이 향상되며, 최신 AI 기술의 발전 방향을 쉽게 파악할 수 있습니다. 따라서 AI 모델 관련 용어를 익히는 것은 AI 기술을 효과적으로 이해하고 응용하는 데 핵심적인 단계이며, 이를 통해 더 깊은 수준의 학습과 실무 활용 능력을 갖출 수 있습니다.

초핵심 개념 (super core terms)

⬤ 언어 모델 (Language Model)
- 텍스트 데이터를 학습해 자연어를 이해하고 생성할 수 있는 AI 모델.
- (예) ChatGPT는 언어 모델의 대표적인 예입니다.

⬤ 파라미터 (Parameter)
- AI 모델의 학습 가능한 변수로, 모델의 크기와 성능을 결정하는 요소.
- (예) GPT-3는 약 1750억 개의 파라미터를 가지고 있습니다.

⬤ 트랜스포머 (Transformer)
- 현재 언어 모델의 기본 구조로, 병렬 처리를 통해 성능을 극대화한 신경망 구조.
- (예) BERT와 GPT는 모두 트랜스포머 구조를 기반으로 합니다.

⬤ 사전 학습 (Pre-training)
- 대규모 데이터셋으로 모델을 초기 학습하는 단계.
- (예) GPT 모델은 인터넷 텍스트를 활용해 사전 학습되었습니다.

⬤ 미세 조정 (Fine-tuning)
- 특정 작업이나 도메인에 맞게 사전 학습된 모델을 추가로 학습시키는 과정.
- (예) 의료 데이터로 GPT 모델을 미세 조정하여 의료 상담에 특화된 응답을 생성.

핵심 개념 (core terms)

● 제로샷 학습 (Zero-shot Learning)
- 별도 학습 없이 새로운 작업을 수행하는 AI 모델의 능력.
- (예) "이 문장을 프랑스어로 번역해 주세요."라는 요청을 학습 없이 수행.

● 원샷 학습 (One-shot Learning)
- 하나의 예시만 보고 작업을 수행하는 학습 방식.
- (예) 단 한 번의 예시로 새로운 문장을 번역.

● 퓨샷 학습 (Few-shot Learning)
- 소수의 예시를 제공해 작업을 수행하는 학습 방식.
- (예) 몇 가지 번역 예시를 제공한 후 새로운 문장을 번역.

● 적응형 학습 (Adaptive Learning)
- 데이터와 환경에 따라 학습 방식을 동적으로 변경하는 방법.
- (예) 사용자의 피드백을 반영해 점점 더 정확한 답변 제공.

● 온톨로지 (Ontology)
- 특정 도메인의 개념과 관계를 정의하는 데이터 구조.
- (예) 의료 분야에서 질병과 증상 간의 관계를 나타내는 온톨로지.

전문 개념 (high-level terms)

(AI 모델 관련 용어의 전문 개념은 다소 난이도가 있으니 필요시 참고하시면 좋겠습니다.)

● 임베딩 (Embedding)
- 단어나 문장을 수치 벡터로 변환하는 방법.
- (예) "고양이"와 "강아지"는 임베딩 공간에서 가까운 벡터로 표현.

● 토큰화 (Tokenization)
- 텍스트를 AI 모델이 처리할 수 있도록 작은 단위로 나누는 과정.
- (예) "Hello, world!"를 ["Hello", ",", "world", "!"]로 분리.

● 최대 길이 제한 (Maximum Token Limit)
- 모델이 한 번에 처리할 수 있는 토큰의 최대 개수.
- (예) GPT 모델은 한 번에 4096개의 토큰을 처리할 수 있습니다.

● 과적합 (Overfitting)
- 모델이 학습 데이터에 지나치게 맞춰져 새로운 데이터에 일반화하지 못하는 현상.
- (예) 훈련 데이터에서는 높은 정확도를 보이지만 테스트 데이터에서는 성능이 저하.

● 활성 함수 (Activation Function)

- 신경망의 출력을 비선형적으로 변환하는 함수.
- (예) ReLU는 대표적인 활성 함수 중 하나입니다.

● 손실 함수 (Loss Function)

- 모델의 예측과 실제 값 간의 차이를 측정하는 함수.
- (예) 평균 제곱 오차(MSE)는 회귀 문제에서 자주 사용.

● 백프로파게이션 (Backpropagation)

- 신경망 학습에서 오차를 역전파하여 가중치를 조정하는 알고리즘.
- (예) 모델 학습 중 손실 값을 줄이기 위해 사용.

● 과소적합 (Underfitting)

- 모델이 학습 데이터의 패턴을 충분히 학습하지 못한 상태.
- (예) 너무 간단한 모델이 복잡한 데이터를 제대로 학습하지 못함.

● 배치 크기 (Batch Size)

- 한 번의 학습에서 모델에 제공되는 데이터 샘플의 개수.
- (예) 배치 크기를 32로 설정하면, 한 번의 학습에 32개의 샘플이 사용.

● 드롭아웃 (Dropout)

- 신경망의 일부 뉴런을 학습 중에 무작위로 제외하여 과적합을 방지하는 기법.
- (예) 드롭아웃 비율을 0.5로 설정하면, 학습 중 절반의 뉴런이 비활성화.

4.   응용 사례 및 도구
(Applications and Tools)

프롬프트 엔지니어링은 텍스트 생성, 번역, 이미지 생성 등 다양한 분야에서 실질적으로 응용되고 있으며, 이를 지원하는 다양한 도구들은 프롬프트 엔지니어링의 효율성과 생산성을 극대화합니다. 이러한 응용 사례와 도구들을 학습함으로써 실제 프로젝트에서 AI 기술을 활용하는 능력을 키우고, 작업의 효율성과 생산성을 높일 수 있으며, 새로운 비즈니스 모델이나 연구 주제를 발견할 기회를 얻을 수 있습니다. 따라서 응용 사례와 도구에 대한 학습은 프롬프트 엔지니어링의 실질적인 가치를 이해하고 이를 효과적으로 활용할 수 있는 능력을 키우는 데 필수적이며, 이는 AI 기술을 통해 새로운 가능성을 열어가는 중요한 단계가 될 것입니다.

초핵심 개념 (super core terms)

● 챗봇 (Chatbot)
- 고객 지원이나 대화를 위해 설계된 AI 기반 응용 프로그램.
- (예) 전자상거래 웹사이트의 실시간 고객 지원 챗봇.

● 텍스트 요약 (Text Summarization)
- 긴 텍스트를 간결하게 요약하는 기술.
- (예) 뉴스 기사를 한 문장으로 요약.

● 번역 도구 (Translation Tools)
- 언어 간 번역을 자동화하는 AI 기반 도구.
- (예) Google Translate를 사용하여 영어에서 스페인어로 번역.

● 음성 인식 (Speech Recognition)
- 음성을 텍스트로 변환하는 기술.
- (예) 스마트폰의 음성 비서 기능으로 메시지 작성.

● 이미지 생성 (Image Generation)
- 텍스트 설명을 기반으로 이미지를 생성하는 기술.
- (예) "강아지가 공원에서 뛰어노는 그림"을 생성.

핵심 개념 (core terms)

● 추천 시스템 (Recommendation Systems)
- 사용자의 취향에 맞는 콘텐츠를 추천하는 시스템.
- (예) 넷플릭스에서의 영화 추천.

● 감정 분석 (Sentiment Analysis)
- 텍스트의 감정(긍정, 부정, 중립)을 분석하는 기술.
- (예) 고객 리뷰를 분석하여 만족도를 평가.

● 코드 생성 (Code Generation)
- 텍스트 입력을 기반으로 코드 스니펫을 생성하는 도구.
- (예) "파이썬으로 리스트를 정렬하는 코드를 작성해 줘."라는 요청.

● 데이터 시각화 (Data Visualization)
- 데이터를 시각적으로 표현하는 기술.
- (예) 입력 데이터로 바차트 생성.

● 자동 완성 (Autocomplete)
- 사용자의 입력을 예측하여 자동으로 완성하는 기술.
- (예) 이메일 작성 중 "Thank you"를 자동으로 추천.

전문 개념 (high-level terms)

● 콘텐츠 생성 (Content Creation)
- 블로그 글, 광고 카피 등 창의적인 콘텐츠를 생성하는 도구.
- (예) 블로그 포스트 주제를 기반으로 초안을 작성.

● 일정 관리 도구 (Scheduling Tools)
- 사용자 일정 관리 및 예약을 돕는 AI 기반 도구.
- (예) 회의 시간을 자동으로 제안하는 캘린더 앱.

● 게임 AI (Game AI)
- 게임 내 캐릭터나 시스템에 지능적인 동작을 부여하는 기술.
- (예) 체스 게임에서 AI 상대와 대결.

● 문법 교정 도구 (Grammar Correction Tools)
- 텍스트의 문법과 맞춤법 오류를 자동으로 수정하는 도구.
- (예) 문장에서 "He go to school"을 "He goes to school"로 수정.

● 고객 분석 (Customer Analytics)
- 고객 데이터를 분석하여 행동 패턴과 인사이트를 도출하는 기술.
- (예) 구매 이력을 기반으로 맞춤형 마케팅 캠페인 설계.

● 개인화된 학습 (Personalized Learning)
- 학습자의 필요와 수준에 맞춘 학습 콘텐츠를 제공하는 시스템.
- (예) 학생의 약점을 분석하여 관련 문제를 추천.

● **의료 진단 지원 (Medical Diagnosis Support)**
- 환자의 데이터를 분석하여 진단을 돕는 AI 기술.
- (예) X-ray 이미지를 분석하여 폐 질환 여부를 탐지.

● **법률 문서 분석 (Legal Document Analysis)**
- 법률 문서를 자동으로 분석하고 요약하는 도구.
- (예) 계약서에서 주요 조항을 추출.

● **음성 합성 (Speech Synthesis)**
- 텍스트를 자연스러운 음성으로 변환하는 기술.
- (예) eBook 내용을 음성으로 변환해 오디오북 제작.

● **소셜 미디어 모니터링 (Social Media Monitoring)**
- 소셜 미디어 데이터를 분석하여 트렌드와 의견을 추적.
- (예) 특정 브랜드에 대한 사용자 반응을 실시간으로 분석.

5. 관련 기술과 개념
(Related Technologies and Concepts)

프롬프트 엔지니어링의 활용을 극대화하기 위해서는 자연어 처리, 기계 학습, 딥러닝 등 이를 뒷받침하는 다양한 기술과 개념을 이해해야 하며, 이는 프롬프트 엔지니어링의 기반이 되는 핵심 기술입니다. 이러한 관련 기술과 개념을 학습함으로써 AI 모델의 동작 원리를 깊이 이해할 수 있고, 다양한 기술을 통합적으로 활용하여 더 나은 프롬프트 설계와 응용을 구현할 수 있으며, 창의적인 응용 사례를 개발하고 새로운 비즈니스 기회를 모색할 수 있습니다. 따라서 관련 기술과 개념의 학습은 프롬프트 엔지니어링을 더 높은 수준으로 발전시키는 데 중요한 밑바탕이 됩니다.

(관련 기술과 개념 관련 용어는 보다 전문적이어서 필요시 참고하시는 정도로 확인하시면 좋겠습니다.)

3rd Part. 프롬프트 엔지니어링 용어 설명서!
: A Guide to **Prompt Engineering** Terminology!!

초핵심 개념 (super core terms)

🔘 자연어 처리 (Natural Language Processing, NLP)
- 인간 언어를 이해하고 생성하기 위한 AI 기술.
- (예) 문서 요약, 번역, 감정 분석 등.

🔘 기계 학습 (Machine Learning)
- 데이터를 이용해 모델이 스스로 학습하도록 하는 기술.
- (예) 스팸 이메일 분류.

🔘 딥 러닝 (Deep Learning)
- 다층 신경망을 사용하여 데이터에서 패턴을 학습하는 기술.
- (예) 이미지에서 얼굴 인식.

🔘 강화 학습 (Reinforcement Learning)
- 보상을 최대화하는 방향으로 학습하는 AI 기술.
- (예) 알파고의 바둑 경기 전략 학습.

🔘 음성 합성 (Text-to-Speech, TTS)
- 텍스트를 음성으로 변환하는 기술.
- (예) 내비게이션 시스템의 음성 안내.

핵심 개념 (core terms)

● **객체 탐지 (Object Detection)**
  - 이미지나 동영상에서 특정 객체를 탐지하고 위치를 표시하는 기술.
  - (예) 자율 주행 차량의 보행자 탐지.

● **지식 그래프 (Knowledge Graph)**
  - 정보와 개체 간의 관계를 구조적으로 표현한 데이터베이스.
  - (예) 구글 검색의 지식 패널.

● **OCR (Optical Character Recognition)**
  - 이미지에서 텍스트를 인식하여 추출하는 기술.
  - (예) 문서를 스캔하여 디지털 텍스트로 변환.

● **생성적 적대 신경망 (GAN)**
  - 두 개의 신경망을 활용하여 새로운 데이터를 생성하는 기술.
  - (예) 가짜 이미지를 생성하는 딥페이크.

● **전이 학습 (Transfer Learning)**
  - 사전 학습된 모델을 새로운 작업에 재활용하는 기술.
  - (예) 이미지 분류 모델을 다른 데이터셋에 적용.

● **클라우드 컴퓨팅 (Cloud Computing)**
  - 인터넷을 통해 컴퓨팅 자원(서버, 스토리지)을 제공하는 기술.
  - (예) AWS, Azure를 통한 AI 모델 배포.

3rd Part. 프롬프트 엔지니어링 용어 설명서!
: A Guide to **Prompt Engineering** Terminology!!

● **엣지 컴퓨팅 (Edge Computing)**
- 데이터 생성 근처에서 데이터를 처리하는 기술.
- (예) 스마트 카메라의 실시간 영상 분석.

● **분산 컴퓨팅 (Distributed Computing)**
- 여러 컴퓨터가 협력하여 작업을 수행하는 기술.
- (예) 대규모 데이터 분석에 사용되는 Hadoop.

● **API (Application Programming Interface)**
- 소프트웨어 간에 데이터를 주고받는 인터페이스.
- (예) 구글 지도 API를 활용한 위치 정보 제공.

● **데이터 증강 (Data Augmentation)**
- 데이터셋 크기를 늘리기 위해 기존 데이터를 변형하는 기술.
- (예) 이미지 회전, 확대를 통한 데이터 생성.

전문 개념 (high-level terms)

● **인공 신경망 (Artificial Neural Network, ANN)**
  ● 인간의 뇌 구조를 모방하여 데이터 학습을 수행하는 알고리즘.
  ● (예) 손글씨 숫자 인식.

● **하이퍼파라미터 튜닝 (Hyperparameter Tuning)**
  ● 모델의 성능을 최적화하기 위해 하이퍼파라미터 값을 조정하는 과정.
  ● (예) 학습률(Learning Rate) 최적화.

● **시계열 분석 (Time Series Analysis)**
  ● 시간 순서에 따른 데이터의 패턴을 분석하는 기술.
  ● (예) 주식 시장의 가격 예측.

● **모델 압축 (Model Compression)**
  ● 모델의 크기를 줄이면서도 성능을 유지하는 기술.
  ● (예) 경량화된 모바일 AI 모델.

● **자연어 생성 (Natural Language Generation, NLG)**
  ● AI가 인간이 이해할 수 있는 텍스트를 생성하는 기술.
  ● (예) 자동 기사 작성.

● **그래프 신경망 (Graph Neural Network, GNN)**
  ● 그래프 구조 데이터를 처리하기 위한 신경망.
  ● (예) 소셜 네트워크 분석.

● **실시간 처리 (Real-time Processing)**
- 데이터를 수집하자마자 즉시 처리하는 기술.
- (예) 실시간 번역 서비스.

● **지리정보 시스템 (GIS)**
- 지리 데이터를 분석하고 시각화하는 시스템.
- (예) 지도 기반의 경로 최적화.

● **데이터 파이프라인 (Data Pipeline)**
- 데이터를 수집, 처리, 저장하는 과정의 자동화.
- (예) ETL(Extract, Transform, Load) 프로세스.

● **시맨틱 웹 (Semantic Web)**
- 데이터를 기계가 이해할 수 있는 방식으로 구조화한 웹.
- (예) RDF(Resource Description Framework)를 사용한 데이터 표현.

● **로보틱 프로세스 자동화 (RPA)**
- 반복적인 업무를 자동화하기 위한 소프트웨어 로봇.
- (예) 데이터 입력 자동화.

● **비지도 학습 (Unsupervised Learning)**
- 레이블 없는 데이터를 학습하여 패턴을 찾는 기술.
- (예) 클러스터링을 통한 고객 분류.

- ● **데이터 라벨링 (Data Labeling)**
  - ● 모델 학습을 위해 데이터에 의미 있는 레이블을 부여하는 작업.
  - ● (예) 이미지 데이터에서 개와 고양이 라벨링.

- ● **모델 배포 (Model Deployment)**
  - ● 학습된 AI 모델을 실제 환경에 적용하는 과정.
  - ● (예) 웹 애플리케이션에 AI 챗봇 통합.

- ● **연합 학습 (Federated Learning)**
  - ● 데이터를 로컬에서 학습하고 글로벌 모델을 개선하는 분산 학습 기술.
  - ● (예) 스마트폰 사용자 데이터 보호를 위한 모델 학습.

- ● **설명 가능한 AI (Explainable AI, XAI)**
  - ● AI 모델의 의사결정을 이해할 수 있도록 설명하는 기술.
  - ● (예) 신용 점수 산정의 기준 설명.

3rd Part. 프롬프트 엔지니어링 용어 설명서!
: A Guide to **Prompt Engineering** Terminology!!

이상으로 프롬프트 엔지니어링의 핵심 용어들을 단계별로 살펴보았습니다. 초핵심 개념에서는 프롬프트, 출력, 모델과 같은 기본적이면서도 필수적인 용어들을 다루었고, 핵심 개념에서는 토큰, 학습, 제로샷/원샷/퓨샷과 같은 실무에서 자주 활용되는 중급 수준의 용어들을 설명했으며, 전문 개념에서는 생각의 연쇄(CoT), 임베딩, 설명 가능한 AI와 같은 고급 수준의 전문적인 용어들을 소개했습니다.

이러한 용어들의 체계적인 이해는 프롬프트 엔지니어링을 효과적으로 활용하는 데 필수적인 기반이 됩니다. 각 개념들은 서로 연결되어 있으며, 이들을 종합적으로 이해하고 활용할 때 AI 모델과의 더욱 효과적인 상호작용이 가능해집니다. 앞으로 AI 기술이 더욱 발전하면서 새로운 용어와 개념들이 계속해서 등장할 것이므로, 이러한 기본적인 용어들에 대한 확실한 이해를 바탕으로 지속적인 학습과 실천이 필요할 것입니다.

Outro
결어:

"프롬프트 엔지니어링, 끝없는 가능성의 시작!"

우리는 AI라는 새로운 도구를 활용하여 창의성, 생산성, 문제 해결 능력을 극대화하는 방법을 탐구했고, 이를 통해 인간과 기술의 협력이 무엇을 가능하게 하는지 확인했습니다.

"프롬프트 엔지니어링의 의미!"

잘 설계된 프롬프트는 마치 좋은 질문처럼, 문제 해결의 실마리가 되고, 새로운 아이디어를 열며, 협력의 가치를 극대화합니다.

이제 AI는 더 이상 미래의 기술이 아니라, 현재를 변화시키고 있는 실존적 도구입니다. 프롬프트 엔지니어링은 그 도구를 가장 효과적으로 활용하는 방법이며, 이는 단순한 트렌드를 넘어 필수적인 기술로 자리 잡을 것입니다.

"마무리하며..."

이 책 "국가대표 프롬프트 엔지니어 : 시작부터 프롬프팅 만랩 프로젝트"가 여러분이 AI와 협력하는 방법을 배우는 첫걸음이 되기를 바랍니다. 또한 프롬프트 엔지니어링이 여러분의 삶과 커리어에서 실질적인 도구가 되어 더 큰 가능성을 열어줄 수 있기를 기대합니다. 앞으로 여러분이 프롬프트를 설계하고 AI와 협력하며 만들어갈 창의적인 성과를 응원합니다. 후속편 "국가대표 프롬프트 엔지니어: 생산성 프롬프팅 만랩 프로젝트"로 여러분을 다시 만나뵙겠습니다.

감사합니다.

2025 국가대표 프롬프트 엔지니어
The ultimate guide for future **prompt engineers**

참고문헌
References

● Nathan Hunter. (2023). "The Art of Prompt Engineering with ChatGPT"

● James Phoenix. (2024). "Prompt Engineering for Generative AI: Future-Proof Inputs for Reliable AI Outputs"

● Marcel Jud. (2024). "Crafting Effective Prompts: An AI Prompt Engineering Guide: Clever Prompting Strategies for Optimal Results"

● OpenAI. (2023). "GPT-4 Technical Report." OpenAI Technical Publications.

● Google AI. (2023). "Advances in Prompt Engineering." Google Research Blog.

● Microsoft Research. (2023). "The Future of Prompt Engineering." Microsoft Technical Reports.

● Stanford AI Lab. (2023). "Advanced Prompt Engineering Techniques." https://ai.stanford.edu/research/prompts

● MIT Technology Review. (2023). "The Evolution of AI Interfaces." https://www.technologyreview.com/ai-interfaces